Aprendendo a Voar

Padre Aberio Christe

Aprendendo a Voar

Histórias Fabulosas

com Mensagens e Poemas

Copyright © 2014 by Padre Aberio Christe

1ª edição — Novembro de 2014

Grafia atualizada segundo o Acordo Ortográfico da Língua Portuguesa de 1990, que entrou em vigor no Brasil em 2009.

EDITOR E PUBLISHER
Luiz Fernando Emediato

DIRETORA EDITORIAL
Fernanda Emediato

PRODUTORA EDITORIAL E GRÁFICA
Priscila Hernandez

ASSISTENTES EDITORIAIS
Adriana Carvalho
Carla Anaya Del Matto

CAPA, PROJETO GRÁFICO E DIAGRAMAÇÃO
Megaarte Design

PREPARAÇÃO DE TEXTO
Josias Andrade

REVISÃO
Juliana Amato
Rinaldo Milesi

FOTOS DE CAPA
Murillo Constantino / Criadores de Imagens

DADOS INTERNACIONAIS DE CATALOGAÇÃO NA PUBLICAÇÃO (CIP)
(Câmara Brasileira do Livro, SP, Brasil)

Christe, Aberio
　Aprendendo a voar : histórias fabulosas com mensagens e poemas / padre Aberio Christe. – São Paulo : Jardim dos Livros, 2014.

ISBN 978-85-63420-95-4

　1. Espiritualidade 2. Fé 3. Mensagens 4. Poesia religiosa 5. Reflexões I. Título.

14-09676　　　　　　　　　　　　　　　　　　　　　　CDD-248.4

Índices para catálogo sistemático:
1. Espiritualidade : Cristianismo　　248.4

EMEDIATO EDITORES LTDA.
Rua Gomes Freire, 225 – Lapa
CEP: 05075-010 – São Paulo – SP
Telefax: (+ 55 11) 3256-4444
E-mail: jardimdoslivros@geracaoeditorial.com.br
www.geracaoeditorial.com.br

Sal e Luz
Religião e Cristão

Sal na medida ressalta o sabor
Religião comedida cresce no amor
Sal em demasia impede de gostar
Religião exagerada não sabe o que é amar
Luz na medida permite enxergar
Cristão com sabedoria sabe ponderar
Luz em demasia ofusca a visão
Cristão fanático sufoca a razão

Prefácio

"Cada um de nós possui uma luz, única e maravilhosa. A lâmpada pode queimar, mas essa luz jamais desaparece."

Desde que ouvi esta frase do meu querido padre Aberio, passei a refletir melhor sobre o poder sem limites que existe dentro de cada um de nós. E entender da importância de alimentar nosso espírito diariamente com ensinamentos que possam mantê-lo sempre iluminado.

E é exatamente isso que encontramos em cada página de *Aprendendo a voar*, por meio de incríveis histórias, poemas e reflexões. padre Aberio nos incentiva a sair do lugar-comum e a mudar nossas atitudes, nos mostrando que só o amor e a fé são capazes de nos conduzir por novos caminhos.

Aprendendo a voar consegue não apenas nos orientar em nossos questionamentos, mas também nos ajuda a descobrir talentos que jamais pensamos possuir e a sermos capazes de realizar o que antes parecia impossível.

Essa leitura, cuja clareza e sabedoria se fazem presentes em todos os momentos, nos faz acreditar em nós mesmos, em nossa força interior e na importância do amor, da complacência e da fé.

Ela também nos faz enxergar que nosso sucesso e nossa felicidade estão diretamente relacionados com nossa capacidade de enfrentar obstáculos, vencer os medos, enfrentar desafios, e, enfim superar nossos próprios limites.

Obrigado, padre Aberio, por mais esse presente, que é poder enxergar, a cada capítulo, o quanto somos capazes de mantermos nossa luz sempre acessa, e ir mais longe: fazer com que ela ilumine todos que nos cercam.

Sidney Oliveira

Apresentação

Um professor não estava conseguindo a atenção dos seus alunos para ensinar-lhes as lições do programa escolar. Ele dizia: "vamos aprender aritmética", e ninguém queria ouvir; "vamos aprender ciências", e a dispersão continuava. "Quero lhes ensinar a história do Brasil", mas as crianças não queriam saber. Frustrado e chateado, o professor pensava em desistir de sua profissão de educador. Sim, ele sonhara com uma sala de aula, mas não estava alcançando nenhum progresso. Decidido a pedir demissão, foi procurar a direção. Enquanto aguardava ser atendido, viu alguns livros na sala de espera, entre eles um de fábulas. Quando o diretor apareceu e perguntou o que ele desejava, o professor gaguejou: "Eu... Eu... Só queria lhe agradecer pela oportunidade de dar aula na sua escola". Pegou na mão do superior e saiu.

No dia seguinte, começou sua aula de modo diferente: "Certa vez, os ratos decidiram fazer uma assembleia...". Os alunos logo se colocaram em posição de escuta e deixaram transparecer a curiosidade com o jeito estranho que o professor estava iniciando a aula. O professor concluiu a fábula, instigou os alunos a dizer o que tinham entendido e, ainda, conseguiu fazer um paralelo da ficção com a matéria curricular.

Mas o professor não se tornou dependente das fábulas, ele também usou histórias verídicas e, muito melhor, fez os alunos perceberem que sempre havia algo interessante para transmitir.

Você, leitor, poderia me perguntar agora: "Quem era esse professor e em que ano isso aconteceu?". Eu diria que muitos professores adaptaram seus métodos em diversos períodos da história da pedagogia. E não só professores como também pais, padres, apresentadores de rádio, entre outros.

Essa adaptação consiste em revestir as ideias com roupas brilhantes quando elas são apresentadas. No seu guarda-roupas, o expositor pode escolher entre fábulas, parábolas, poemas ou cantigas. Exortações, motivações e bons conselhos são dirigidos ao ouvinte por meio de situações e personagens que podem ser reais ou fictícios. Certa vez alguém me disse que não havia entendido o que eu queria dizer com determinada história; pediu que lhe explicasse, mas não havia explicação a ser dada, já que a mensagem se destacava com clareza. Porém, o leitor nunca tinha vivido uma situação ou tido um sentimento que se comparasse ao dos personagens da fábula e, portanto, não podia associar a fantasia à realidade. Embora o número de pessoas que tinham feito comparações da mesma ficção com fatos reais fosse muito grande, a fábula não tinha atingido o objetivo com aquela pessoa.

Posso citar o exemplo do "Chuchu quer ser gente". Quem nunca se sentiu frustrado, inconformado consigo mesmo, com sua vida, seu corpo ou sua profissão? Quem nunca sentiu nenhum tipo de carência afetiva ou sofreu qualquer humilhação por causa de condição social, comportamento ou aparência não vai entender o drama do legume que não se cansa de procurar um meio de se transformar em ser humano, correndo o risco de ser enganado e até mesmo devorado pelos aproveitadores. Nesse sentido, a grande maioria das pessoas se vê na pele do vegetal, e o absurdo da fábula se traduz em realidade vivida em alguns períodos da própria vida.

Nossos personagens vivem situações de medo, dúvida, anseio, frustração, debilidade, conflitos sociais, desprezo, autoestima baixa, crises de relacionamento, exclusão do grupo, irresponsabilidade social e incompreensão. Alguns desses personagens são bem-sucedidos em seus objetivos, outros não, pois assim é a vida: nem sempre a gente consegue o que pretende, mas sempre se pode aprender com os acontecimentos, por mais contraditórios ou vexatórios que sejam. Por isso, depois de cada fábula, há uma dica de aprendizado, que não pretende de modo algum ser a única, pois em cada história ou mensagem há diversos entendimentos. O autor da história não pode querer limitar a interpretação e o efeito dela na vida dos ouvintes ou leitores. Em tantos exemplos, ele mesmo se surpreende quando percebe uma dimensão que não tinha notado antes. Mesmo que continue a deter os seus direitos autorais, ele não pode impedir que ela seja interpretada de várias maneiras. Claro que não pode permitir que seja adulterada, mas não pode limitar o seu entendimento na cabeça e no coração dos seus receptores.

Contar histórias é uma arte antiga e um método eficaz de transmitir mensagens, despertar sentimentos e ajudar as pessoas a pensar sobre os mais diversos assuntos.

Quero destacar aqui que o contador de histórias pode ser identificado com duas celebridades típicas deste universo: o marinheiro e o antigo morador da cidade. O primeiro é o aventureiro que viu muitos lugares e, supostamente, tem um amor ou uma paixão em cada porto. O segundo conhece a tradição e os costumes do lugar. É fascinante ouvir tanto um quanto o outro, pois ambos sabem tomar a atenção de seus ouvintes desejosos em aprender. No entanto, vamos supor que nem um nem outro está interessado em ganhar crédito pelo rigor científico de suas narrações e, sem culpa, eles vão acrescentar dados ou exagerá-los para tornar suas histórias mais fascinantes e atrair mais seus receptores. Eles poderão ser acusados de mentirosos? Não, pois a sua verdade é sua experiência enriquecida com a sua fantasia, seus sonhos e sua criatividade. A verdade é a sua arte em contar histórias.

Relembro minha infância, quando acabava a eletricidade e ficávamos em torno da fogueira ou de uma vela acesa. Os mais velhos contavam coisas extraordinárias, que faziam os cabelos dos mais novos ficarem em pé, o meu inclusive. Depois sentíamos medo de ir sozinhos para o quarto dormir, e não era para menos, pois as histórias falavam de falecidos que reapareciam, animais que se transformavam em gente e vice-versa, vozes do além que se faziam ouvir em noites escuras e tantas outras coisas fantásticas. Ninguém se preocupava com a veracidade das histórias. Quanto mais inacreditáveis, mais interessantes eram. Aquela era uma atividade que valorizava mais a imaginação e muito menos a memória. Mas era, sobretudo, um bom motivo para estarmos reunidos. Todos, crianças ou idosos, tínhamos grande interesse por aquelas reuniões. Sinto saudades daqueles momentos e, de vez em quando, ainda fazemos algo semelhante em família. Ninguém precisa de detector de mentiras quando está na roda dos causos, pois a verdade está no desejo de se reunir e de partilhar histórias, por mais absurdas que sejam. Em cada uma delas há uma ideia, uma sensação a despertar no outro, um incentivo para outras serem contadas e, novamente, se instigarem pensamentos e sentimentos.

Aprendendo a voar tenta cumprir esse papel de instigar, provocar, cutucar consciências e fazer brotar ideias e sentimentos. Mas não é um livro de memórias ou de resgate das histórias contadas no passado. Aqui estão pensamentos, sentimentos e fantasias de um menino-homem que passa boa parte da vida a transmitir mensagens com o objetivo de despertar a fé e a razão próprias e dos outros. *Aprendendo a voar* não é e nem quer ser um manual de conduta moral ou uma palavra definitiva sobre o que quer que seja, mas pretende incentivar as pessoas a serem sinceras consigo mesmas, pois vivemos em um mundo onde fingir ser o que não se é ou imitar os outros se tornou, equivocadamente, uma atitude louvável. As pessoas migram de um extremo a outro, há aquelas que querem parecer perfeitas diante de todos e aquelas que querem transgredir radicalmente com a simples intenção de tentar ser o que não são. Mas por que não ter a liberdade de escolher entre um lado e o outro? Eu posso romper muitas correntes que me prendem, mas posso também aceitar os laços que me unem às outras pessoas. Não preciso me filiar ao partido "X" e recusar irresponsavelmente até mesmo as propostas sensatas do partido "Y". Este livro quer resgatar a liberdade de pensamento, sentimento e ação sem esquecer a responsabilidade individual e coletiva de cada um de nós.

Sumário

Prefácio 7
Apresentação 9
Sobre a fé 19
Motivados pelo amor 21
Rafaela, uma criança especial 23
Sentimento ressequido 27
Rafaela, um bebê diferente 29
Soltem o nosso amigo 33
Os homens, os pernilongos e os ratos 35
Quando os enfeites natalinos não se entendem 37
Solidários no abandono 41
Quantas vezes eu vi você 43
De quem é a culpa? 45
Rafaela, a menina com asas 47
O que é Natal? 49
Será esse o último Natal do Papai Noel? 51
De encontro à água viva 59
Profecias infantis 61
A menina miudinha 65
Renivaldo, O Patinho Feio 69
Rafaela, vítima do ciúme 71
A acusação 73
Eu, moleque, e as pulgas 75
Não estou ficando velho, não 77
Liberto e curado 79

Os enfeites natalinos e o presépio 81
A missão é outra 83
O teste 85
O que tem mais valor: uma vez ou sempre? 87
A verdadeira vitória............................... 89
A gargalhada..................................... 91
Desculpe-me, não queria magoá-lo! 93
Eu perdi 95
Rafaela, o tempo está chegando! 97
Caminhada..................................... 101
Você confia em Deus?............................ 103
A grande causa 105
Rafaela recebe a visita de um Arcanjo 107
Perdão... 109
Perdoei, cara 111
Isquito, o fogo e o ladrão 113
Isquito, o fogo e o ladrão: culpa 115
O ser humano e a flauta 117
O pobre coitado 121
Cicatrizes 123
O pássaro que não pode voar 127
O que aconteceu com Oshua?..................... 129
Loja de maridos 131
Amando e amado 133
A moça e o vento 135
Para onde ele foi? 137
O lavrador que ora 139
Um acordo..................................... 141
Quando os enfeites natalinos não comparecem 147
Rafaela, ensina-me a voar 151

Em busca da originalidade 155
Sempre vitorioso 157
O bode bale, a gansa grasna, o porco grunhe e o gato
  usa ray-ban 159
Asas de morcego 163
Testemunho de Pedro 167
Rafaela, uma simples menina com asas 169
Jesus está comigo 171

Sobre a fé

Pensei sobre fé e por que deveria tê-la
Pensei sobre crer se me convém não crer
Pensei sobre Deus e sobre o que me prometeu
Pensei sobre a minha vida e a difícil lida
Pensei sobre o momento e todo esse sofrimento
Pensei sobre mim e ainda mais sobre ti
Pensei sobre o mundo e na mente fui fundo
Pensei sobre tudo e como às vezes eu me iludo
Pensei sobre o futuro e sobre o ontem, eu juro
Pensei sobre o desejo e sobre o que almejo
Pensei sobre o fracasso que sinto e que faço
Pensei sobre a oração e toda essa rezação
Pensei sobre a prece que não me enaltece
Pensei sobre o coração que sempre endurece
Pensei sobre ser ou não ser, eis a questão
Pensei sobre nascer, viver e um dia morrer
Pensei, pensei, pensei, pensei e, outra vez
Pensei sobre a fé, pois a vida é o que é
Pensei e concluí: sem fé não posso existir

Motivados pelo amor

No livro *História de uma alma*, há uma prece de Santa Terezinha do Menino Jesus que nos enriquece muito espiritualmente: "Meu Deus, o jeito que eu tenho para dar provas do meu amor é o de te atirar flores, isto quer dizer: apresentar-te todo pequeno sacrifício, todo olhar, toda palavra e servir-te nas coisas mais simples, fazendo tudo por amor".

Devemos nos esforçar para fazer valer essa máxima, pois Deus não quer de nós grandes feitos, mas quer que vivamos motivados pelo amor. Lembro da história de uma atriz famosa que, querendo aumentar seu prestígio perante o público, foi visitar um hospital de um país muito pobre da África e, vendo todo sofrimento dos doentes e os problemas que afetavam aquele local, como falta de recursos e de estrutura para atender os pacientes, não suportou tanta miséria e decidiu ir embora sem concluir a visita. Mas foi então que encontrou, em um daqueles terríveis corredores, uma freira muito sorridente e bastante empenhada no cuidado aos enfermos. A artista começou a conversar com a religiosa e disse:

— Irmã, eu admiro a senhora! Eu não faria isso nem por todo o dinheiro do mundo.

A freira, ainda com um belo sorriso no rosto, respondeu:

— Nem eu.

A atriz ficou confusa com a afirmação e perguntou:

— Mas por que então está aqui? É obrigada a fazer este trabalho?

A religiosa falou:

— Não. Faço isto por amor.

Ainda Santa Terezinha afirma: "sou um pincelzinho que Jesus usa para pintar sua imagem nas almas". Também nós o somos. A obra é dele, e dela não podemos nos gloriar como nosso feito. O Senhor quer que nos abandonemos em suas mãos e nos deixemos usar por Ele. Mas Jesus não nos deve coisa alguma como se fôssemos seus empregados. Se Deus nos concede graças é por sua infinita misericórdia e por seu imenso amor. Não recebemos por merecimento, mas por bondade do Senhor. E se não recebemos ou perdemos alguma coisa, ainda assim devemos louvar. Devemos ser fiéis na vitória e na derrota, na abundância e na escassez. Mas precisamos continuar apresentando a Deus nossos pequenos sacrifícios como flores depositadas no altar: abandono, injustiça, humilhação, falta de reconhecimento, lutas sem glória e tantas dificuldades que enfrentamos nesta vida. Porém, nem por um instante, deixemos de ser fiéis aos nossos compromissos.

Rafaela, uma criança especial

O bebê nasceu forte e saudável. Todos os parentes pularam de alegria quando souberam que era uma menina. A tia logo comentou:

— A menina dá para enfeitar mais.

— Ela vai fazer muito sucesso na vida — profetizou o tio.

— É a minha cara — disse, sorrindo, o pai.

A mãe disse que era a criança mais linda do mundo. A mãe sempre diz isso sobre seus filhos, mas a pequerrucha tinha realmente um brilho especial. O pai queria que se chamasse Ana Benedita, pois era o nome da sua avó, já falecida. Um dos tios sugeriu Karen, pois tinha assistido a um filme em que aparecia uma personagem com esse nome. Mas a mãe é quem decide:

— Ela parece um anjinho, Rafaela é o seu nome.

A cunhada fez cara feia, pois preferia Priscila, mas o desejo da mãe prevaleceu, como havia de ser.

A criança saiu da maternidade acompanhada do pai e da mãe, mas escoltada por diversos parentes de ambas as famílias. O carro dirigido pelo pai fazia parte de uma carreata que contava com três automóveis à frente e seguido por outros três. Em determinado cruzamento, depois que os da frente passaram, o semáforo sinalizou amarelo.

— Vai tio, acelera que dá para passar — sugeriu o menino, que era sobrinho do motorista.

— Aprenda uma coisa, menino — disse o pai, em tom professoral —, não basta ter "pé de chumbo". Para dirigir é preciso ter a cabeça no lugar.

O automóvel do pai, seguido pelos outros, parou ao sinal vermelho. Nesse momento apareceu um homem muito malvestido, com uma barba grande e malcuidada, os cabelos crescidos e sujos. Ele se aproximou da janela lateral do veículo no qual estavam o casal, a criança e mais um sobrinho. O homem pediu algum trocado. O pai solicitou ao seu sobrinho que pegasse um dinheiro na sua carteira. O mendigo viu a recém-nascida e sorriu, admirado. O pai lhe estendeu o trocado, o homem da rua pegou o dinheiro sem olhar para a cédula.

— Posso ver a criança? — pediu o mendigo, sem tirar os olhos do neném, que estava todo envolto por um xale. A mãe descobriu um pouco mais a cabeça do bebê e levantou o rosto dele para que o homem o visse bem. Os olhos do mendigo se encheram de lágrimas, uma gota rolou pelo seu rosto escurecido pelo sol e pela sujeira acumulada de um longo período de exposto à poluição.

Nesse instante o semáforo sinalizou a cor verde. O mendigo retirou do bolso um objeto de metal, jogou-o no colo do pai e disse:

— Bem-aventurada aquela que é o que deve ser! Cuidem bem dessa criança — e voltou correndo para a calçada.

O automóvel arrancou e logo cruzou o semáforo. O sobrinho, curioso, pegou a medalha deixada pelo mendigo e ficou a observá-la.

— O que é? — quis saber o pai.

— Tem uma imagem aqui, parece de um santo — respondeu o menino.

— Que santo? — perguntou o pai.

— Não sei, está bastante desgastada.

— Deixe-me ver — pediu a mãe. Ela ficou olhando o objeto por um instante. Todos permaneceram em silêncio dentro do carro até que a mãe dissesse alguma coisa sobre o desenho da medalha.

— Realmente, não dá para reconhecer a figura — disse, guardando o objeto na mesma sacola onde estavam as roupas da criança e frustrando os demais.

Sentimento ressequido

A lembrança do que aconteceu
Trouxe a mágoa enrustida
Uma dor refloresceu
Como um lixo que ganha vida
O que estava lá na fundo
Deixou o descanso e veio à tona
Revelou-se o tal imundo
Do negativo tirou-se a lona
A cicatriz do que parecia sanado
Abriu-se de repente
Ardor incontrolado
Que faz gemer a alma da gente
Chamam isso ressentimento
Como emoção ressequida
Como o podre alimento
Que não mais serve de comida
Como lavo a louça usada
E descarto o lixo inútil
Perdoo a ofensa passada
E dispenso a ideia fútil
Chega de lágrima retardada
De pensamento sem razão
De alma de limbo incrustada

De sentimento sem noção
Chega de chorar o derramado
De lutar com que já passou
De bailar com o triste fado
De ressentir o que já acabou
Quero perdoar os fatos
Me livrar da dor ingrata
Centrar-me somente nos atos
Exterminar a praga que maltrata

Rafaela, um bebê diferente

Entre mimos e dengos por parte de toda a família, Rafaela ia se desenvolvendo e já completava seu primeiro aninho. Foi por esse tempo que todos levaram um susto, pois começaram a surgir caroços nas costas da criança. Levaram-na ao pediatra e ele disse que ela estava muito bem, tinha apenas um pequeno defeito na estrutura óssea das costas. Disse que não havia nada a fazer naquele momento, somente mais tarde poderia ser feita uma cirurgia. Todos se espantaram chocados, demonstraram tristeza e rezaram. Pediram que a pequena fosse curada. Pediram que o seu xodozinho não precisasse passar por aquilo. A mãe entregou sua filha nas mãos de Deus e teve a certeza de que o Senhor cuidaria dela.

Aquele par de caroços foi crescendo. O médico disse:

— Vamos fazer a cirurgia!

O pai concordou:

— É melhor para ela fazer a operação agora.

A tia entrou em desespero:

— Minha pequena não pode crescer defeituosa.

— Mas cirurgia! Ela parece tão frágil! — disse um dos primos.

— Ela vai fazer a cirurgia e vai ficar muito bem — disse o outro primo.

A vovó ponderou:

— Vamos esperar mais um pouquinho.

— Quanto mais se espera, mais difícil fica — disse o vovô.

A mãe, porém, proferiu a última palavra:

— Não. Ela não precisa de cirurgia — todos se assustaram ao ouvir isso, mas ficaram calados.

Rafaela crescia e estava sempre com blusinhas largas para esconder aquelas saliências em suas costas, que começavam a ganhar forma. A tia foi a primeira a arriscar um palpite:

— Parecem asas!

Imediatamente recebeu a reprovação de todos os presentes, que lhe dirigiram um olhar de censura. O tio disse ainda:

— Se não tem nada inteligente a dizer, fique quieta. O ignorante calado passa por sábio.

— Obrigada, professor — respondeu sarcasticamente a tia.

— Cala a sua boca.

Entretanto, Rafaela tinha dois membros a mais no seu corpo e foi a mãe quem viu, pela primeira vez, eles se mexerem. Quanto mais a menina ficava feliz, mais aquelas saliências nas suas costas se moviam. Já não restava dúvida, o movimento era voluntário, a menina possuía um par de membros que eram como asas de um pássaro sem penas.

O pai insistia na cirurgia:

— Como vai ser a vida dela? Todos vão rir, ela não vai poder usar roupas leves como as outras meninas; não vai poder frequentar normalmente o clube, a praia!

— E se as colegas a chamarem por nome de aves? — preocupou-se a tia.

— Cala a boca — sugeriu-lhe o tio, que era também seu irmão.

— Os adolescentes gostam de colocar apelidos uns nos outros — explicou a tia, com um tom sério na voz —, conheci um menino que era chamado de Rino, porque era gordinho e tinha um nariz grande.

— Rino! — exclamou a vovó, sem entender.

— De rinoceronte — completou a tia.

— E fique sabendo que "rino" significa nariz – observou o pai.

— E você vai virar uma Pan, se não parar de falar besteiras — disse o tio, dirigindo-se à irmã.

— Pan?! — exclamou ela, expressando dúvida.

— De panqueca — completou o tio —, vou achatar você, depois vou enrolar com recheio. E eu ainda deixo você escolher o que irá no meio.

— Não tem graça — disse a tia, querendo demonstrar pouco caso pela brincadeira.

— Não tem graça mesmo — respondeu o tio —, você é tão ruim que não serve nem para uma boa panqueca.

— Mas saibam vocês — interveio o pai — que na mitologia grega Pan é o deus dos camponeses, dos pastores e do rebanho. Aquele mesmo que toca flauta.

— Aí, trouxa, eu sou uma deusa — disse com orgulho a tia, virando-se para o irmão e esticando o pescoço. Esse, por sua vez, virou o rosto para demonstrar que não dava importância à conclusão da irmã e levantando as sobrancelhas resmungou:

— Coitada!

A mãe recebeu uma inspiração do Alto e disse com segurança:

— Rafaela tem algo diferente das outras crianças: não é melhor, nem pior, é apenas especial. E se Deus permitiu que ela nascesse assim, é porque Ele tem um propósito para isso.

Soltem o nosso amigo

Andei pelo mundo e com meus próprios olhos eu vi. Vi, sim, e fui testemunha do que vou contar.

Um homem capturara um anjo de Deus. O anjo debatia-se para fugir do seu laço. Mas o humano cruel não deu trégua e apertou o nó. Eu queria ajudar, pois daquele ser divino sentia muito dó. Ouvi o agressor gritar, com grande ira:

— Afastem-se, porque hoje estou prendendo a mentira. Minha mãe me falava de um ser que a todos guarda. Porém, esse charlatão nunca me defendeu de nada. Este aqui é apenas um personagem de ficção, vou destruir para sempre esta figura da ilusão. Não existem mensageiros de Deus e protetores divinos. Acabo de vez com essa lorota e livro todos os meninos.

E foi naquele mesmo instante que vi Lúcifer sorrindo. Ele surgiu de repente e a cena foi aplaudindo. Quando o homem levou embora a bela criatura, o diabo se inflamou em maldade e estatura. Coisas terríveis se sucederam a partir de então. Brigas, furtos, assassinatos e muita confusão. As pessoas começaram a discutir por qualquer razão.

Mas para onde levaram o anjo, estaria ainda vivo?

Muitos choraram e gritaram: "soltem o nosso amigo". Outros, em silêncio, fizeram a Deus o mesmo pedido. Mas o tempo passou e as pessoas não mais lembraram. Do anjo se esqueceram e com o terror se acostumaram.

Um mundo sem anjos é o que há de mais triste. Um mundo escuro onde a inocência não subsiste.

E todos mergulharam numa vida sem sentido, perambularam pelas estradas como pobres mendigos. Eu me vi sem nada, sem crença ou esperança, duvidei até da palavra de que a fé tudo alcança.

Então adormeci na minha angústia e no meu cansaço, quando logo senti uma mão pousar sobre o meu braço. Abri os olhos e reparei: em minha frente estava aquele ser. Era o anjo que dizia: "um novo dia está para nascer".

Alegrei-me por vê-lo outra vez livre, enfim. Disse-me:

— Não se prende um anjo tão fácil assim. Enquanto uma pessoa acreditar em mim serei forte.

Abracei meu amigo e louvei a Deus por tamanha sorte.

Os homens, os pernilongos e os ratos

Esta é a história de um homem chamado Ovídio, que morava em um sítio afastado da cidade, onde havia muito pernilongo. Todas as noites ele sofria e não conseguia dormir por causa das picadas e dos zumbidos. Quando chegava a manhã, ele estava com os olhos inchados e vermelhos por causa das tenebrosas horas de tortura. Ficava irritado e não se cansava de reclamar dos terríveis insetos que atrapalhavam seu sono. Dizia que os pernilongos deveriam ser banidos da face da Terra, que esses sanguessugas eram os responsáveis pelos seus males: falta de rendimento no trabalho, problemas de saúde etc. etc.

Certa vez, Ovídio conheceu Rufino, que tinha problemas com os ratos que estavam invadindo sua casa. Eles conversavam por horas e horas trocando reclamações. Tanto um quanto o outro apontava seus inimigos como os únicos responsáveis por sua infelicidade. Imagino que, se não tivessem esses problemas, não teriam o que falar e sua amizade não prosperaria.

Ovídio e Rufino passaram anos brigando com os bichinhos e divulgando denúncias contra essas pragas, até que Sávio, entrando no bar onde os dois tomavam café, resolveu se meter no assunto:

— Qual é a função do pernilongo? — perguntou –, qual é a função do rato? — emendou.

Os dois se assustaram com a pergunta, acharam muito estranho aquele questionamento. Sávio não esperou a resposta, mesmo porque sabia que ela não viria por parte dos dois. Ele continuou:

— Vocês vão passar o resto da vida tentando convencer os insetos e os roedores a não invadirem suas casas? — esta pergunta também ficou sem resposta, mas Ovídio e Rufino fizeram cara de "O que esse homem está falando?".

— Não acham que, em vez disso, poderiam evitar a aproximação desses inimigos? — a esta pergunta os dois fizeram a expressão de "Como é possível?".

— Ovídio, você já ouviu falar de repelente? — perguntou.

— Rufino, você já tentou evitar deixar restos de comida espalhados pela casa?

Então os dois fizeram cara de "Nunca pensei nisso".

Sávio pagou a conta dos três e foi embora. Os dois continuaram ali, em silêncio. Na mente um impasse: continuar do jeito que estavam ou fazer o que Sávio sugerira? O outro fizera cair o pano que escondia a verdadeira realidade. O problema não estava nos bichos, mas em suas atitudes, ou na falta delas.

Quando os enfeites natalinos não se entendem

A árvore ficou linda com as bolas, as luzes, a estrela, o Papai Noel de porcelana e os outros enfeites. Todos que passavam por ela ficavam admirados e exclamavam: "muito linda!"

— E aí, pessoal, tudo bem? — perguntou a estrela, olhando para baixo.

— Está tudo bem, sim, mas por que colocaram você aí em cima e eu aqui embaixo? — questionou o Papai Noel de porcelana.

— Deixa de ser ignorante. Você, alguma vez, viu uma estrela que não esteja no alto? — disse a estrela.

— Mas eu represento melhor o Natal do que você. Estou em todas as lojas, em todas as casas, apareço na televisão. Sou bem mais popular — orgulhou-se o Papai Noel.

— Desculpem-me por intrometer na conversa de vocês — disse uma bolinha de vidro —, mas acho que essa discussão não faz sentido, ninguém aqui é melhor do que ninguém.

— Papai Noel, você é um chato! — gritou uma bolinha de plástico. — Aquela sua risada não me convence: "Ho, ho, ho" — imitou ela.

— Gente! Coitado do Papai Noel! — ponderou uma das guirlandas. — Ele é bonzinho, dá presente para todo mundo.

— Não é verdade — disse uma das bolas maiores —, muita gente fica sem ganhar um único presentinho.

— Eu concordo — disse um lacinho de tecido azul —, tem criança pobre que não ganha nem uma bala do Papai Noel.

— Vocês falam muito — resolveu participar da conversa o pisca-pisca —, Natal não é festa para somente dar e receber presentes. Natal é a festa da luz.

— Falou bonito — disse outra das bolinhas —, mas você só está querendo puxar a sardinha para a sua brasa.

— Esperem aí! — falou uma caixinha de presente. — Vocês estão querendo me excluir do Natal? Perguntem para qualquer criança se ela gostaria de ter um Natal sem presentes. Não podem fazer um Natal da maneira de vocês, o Natal já tem uma tradição.

— Árvore, você está tão quieta... — disse a estrela. — O que você pensa de tudo isso?

— Estou ouvindo vocês e pensando: assim como nesta discussão, o mundo se preocupa com muitas coisas, mas se esquece do verdadeiro sentido do Natal — respondeu a árvore.

— E qual é esse sentido? — quis saber a guirlanda.

— Todos nós temos uma importância no Natal, mas a nossa importância é mostrar aquele que é mais importante — disse a árvore.

— Não é o Papai Noel — adiantou a estrela.

— Por exemplo — continuou a árvore —, eu sou um símbolo da esperança e resistência, mas essa esperança e essa resistência devem ser colocadas nele. Eu anuncio a todos que ele é maravilhoso e ninguém deve desistir de confiar e acreditar. A estrela anuncia que ele está vivo. As luzes dele afastam toda escuridão da humanidade.

— E eu? — perguntou o Papai Noel.

— Você é aquele que leva, com o presente, a mensagem: "Deus é amor e está presente no mundo".

— Então todos somos importantes? — perguntou o lacinho de tecido.

— Sim, somos importantes para anunciar Jesus, o Salvador — concluiu a árvore de Natal.

Todos aplaudiram a árvore e continuaram felizes, cientes da sua missão: animar a festa de Jesus.

Solidários no abandono

Era noite de Natal, Josué perambulava pela cidade. Outras pessoas andavam apressadas, querendo chegar logo a algum lugar, mas ele não tinha nenhuma pressa, e nem tinha para onde ir. Observava os enfeites, encantava-se com as luzes e seguia para lugar nenhum numa peregrinação sem objetivo. Quando o relógio da igreja marcou 23h59, as ruas estavam desertas. Josué ouvia vozes ao longe, algumas pessoas já começavam a gritar "Feliz Natal!". Josué acompanhou a movimentação de pessoas através de algumas janelas dos inúmeros edifícios que exibiam a opulência da cidade. Ele não se sentia triste, nem alegre, apenas se lembrava do tempo em que era criança e gostava de festejar a data junto aos seus pais, irmãos e alguns parentes. Lembrava a ansiedade antes de saber o que iria ganhar, pois só depois de começar um novo dia era que as caixas de presente podiam ser abertas. Rememorava como o tio ficava engraçado com aquela roupa de Papai Noel. Sua mãe chamava todos para uma oração, em sua mente vinham todas as palavras que ela pronunciava naquelas noites especiais.

De repente, seus pensamentos foram interrompidos. Ouviu um barulho diferente e, em seguida, o choro de uma criança. Ele parou para escutar melhor e logo identificou de onde vinha o som. Josué caminhou naquela direção e logo avistou um menino pequeno aos prantos. A criança estava em pé e aparentava ter três anos de idade. Josué olhou para todos os lados, procurou algum adulto, mas não viu ninguém. Imediatamente outra cena do passado voltou à sua mente, e desta vez era uma recordação nada agradável que tomava conta da sua memória.

Ele próprio havia sido abandonado. Experimentara o que aquela criança poderia estar passando nessa noite. Sua família fora vítima de um acidente de ônibus e um irmão do seu pai se propôs a tomar conta dele, mas Josué não conseguia aceitar a nova realidade e foi se tornando um menino irritado e desobediente. A esposa do seu tio reclamava dessa situação e não conseguia aceitar Josué como membro da família. Decidiram, então, abandoná-lo à sorte. Era também uma noite de Natal. Eles achavam que as pessoas estariam mais solidárias nesse tempo e recolheriam o menino, pessoas que tivessem mais capacidade e condições para educar um filho que não fosse seu. No entanto, Josué com cinco anos de vida aprendeu a lei da sobrevivência das ruas e ali ficou até se tornar adulto.

Vinte anos depois, ele se deparava com uma criança ainda menor numa situação semelhante. Lentamente, Josué aproximou-se do menino e simplesmente lhe estendeu o braço; a criança chorou ainda mais forte, ele continuou oferecendo sua mão, até que o pequeno foi se acalmando, esticou o bracinho e segurou o dedo indicador de Josué. Os dois, então, solidários no abandono, seguiram juntos numa jornada sem destino pela madrugada do Natal.

Somente a solidariedade pode amenizar a dor do abandono e da solidão.

Quantas vezes eu vi você

Quantas vezes, sentado naquela calçada, eu vi você passar. Às vezes estava apressado, às vezes calmo, às vezes parecia nervoso; outras, preocupado, alegre, sereno... Suas passadas eram inconfundíveis, ainda longe eu não tinha dúvidas e pensava: "lá vem ele". Passava por mim e demorava para voltar, ou então voltava rápido, portava sacolas ou tinha as mãos vazias, mas a cabeça nunca estava vazia.

Eu sei que você tinha muitas ideias na mente e seu coração era cheio de sentimentos; você pensava nos seus irmãos, na sua mulher e sinceramente os amava. Você também tinha sonhos e metas a alcançar. Eu sei que você andava na rua criando e avaliando seus projetos. Eu sei de sua luta para sobreviver, crescer e ser feliz todos os dias. Mas eu tentava adivinhar suas convicções políticas, suas opiniões sobre os problemas sociais e se você dava palpite sobre os assuntos de destaque no dia a dia.

Quantas vezes vi você passar e até desejei que olhasse para mim, que me desse, ao menos "bom dia", "boa tarde" ou "boa noite". Claro que uma conversa seria muito, afinal eu era apenas um mendigo, um vagabundo, um sofredor de rua, um cego à beira do caminho. Eu compreendo que você, como os outros, desejavam não me ver mais por ali, pois uma pessoa em tal situação, jogada na rua, causa mal-estar a qualquer um.

Saiba que não tenho mágoas de você no meu coração, e confesso que me sinto feliz por finalmente privar você da minha presença naquela calçada. Se não podia fazer nenhuma diferença na sua vida, também não deveria incomodá-lo, eu sei que é desagradável sentir o cheiro de um ser humano que passa semanas sem tomar banho. Eu sei que minha tosse irritava seus ouvidos e que minhas feridas não eram obras de arte que merecessem ser expostas; afinal, você também tinha os seus problemas. No entanto, agora tento, mas não consigo me livrar da vontade de sentir novamente o seu perfume. Queria ouvir a sua voz e a sua respiração, nem que fosse uma única vez. E, quem sabe, tocar em você pela primeira e última ocasião. Mas sei que não tenho o direito de querer isso, resta-me fechar os olhos e esperar que daqui a pouco a vida seja diferente e que eu esteja com mamãe, que já me espera faz tempo.

Eu sei que daqui a pouco eu vou poder enxergar, falar novamente e, assim, um dia, olhar pra você e dizer: "eu não te odeio, não te culpo por ter me abandonado; afinal, eu nunca seria mesmo um bom filho. Quero apenas que saiba que eu te amo, papai".

DE QUEM É A CULPA?

De quem é a culpa?
Da chuva que cai no verão?
Da árvore que não se sustenta no chão?
Da mosca que é apenas um inseto?
Do pernilongo que se multiplica por metro?
Do cão sem dono que marca território?
Do mendigo de olhar simplório?
Da vítima em lugar perigoso?
Do cadáver que jaz silenciado?
Dos passageiros do avião não revisado?
Do idoso com seu andar moroso?
Do desempregado que não se especializou?
Do ciclista que o motorista atropelou?
Do pobre que não ganhou dinheiro?
Da agulha que caiu no palheiro?
Da blogueira que se recusou a ficar calada?
Da criança que na praia foi assassinada?
Do público que não entende a arte?
Do faminto que briga por sua parte?
De quem protesta contra a injustiça?
De quem não diz amém na missa?
De quem pensa com a própria cabeça?
Da dona de casa que quer ser condessa?

Dos bebês que insistem em vir à vida?
Da gente que não deseja a partida?
Do ar pelo qual voam as aves?
Da lua com suas diversas fases?
Da natureza que cumpre seu papel?
Afinal, quem é o verdadeiro réu?

Rafaela, a menina com asas

O pai continuava a insistir em cirurgia:
— A operação vai ser boa para ela, Rafaela vai poder crescer, estudar e trabalhar como uma pessoa normal.

Mas a mãe pensava diferente:
— Não podemos amputar dois membros saudáveis de uma criança! Se Deus permitiu que ela nascesse assim, é porque Ele tem um propósito para isso — repetiu ela e, mudando o tom de voz, acrescentou:
— Você precisa ver como ela mexe as asinhas... — dito isto, a mãe ficou vermelha, prendeu a respiração e tentou consertar — digo, aquelas que se parecem com asinhas.

Mas o tempo se incumbiria de tirar qualquer dúvida. Apareceram penugens naqueles membros. As penugenzinhas logo se desenvolveram e a tia não conteve sua língua:
— Nossa! Nasceram penas nas asas da Rafaela!

O tio, mais uma vez, a repreendeu como quem tem autoridade:
— Cala essa boca.

Porém, não dava mais para negar: a menina tinha asas como um passarinho. E como um passarinho Rafaela se desenvolvia rapidamente. Com menos de um ano aprendeu a andar, antes de completar dois, a falar. Os pais e a parentela comemoravam cada etapa do desenvolvimento de Rafaela. Quando a menina começou a engatinhar, todos quiseram ver, com os próprios olhos, a façanha.

Rafaela recebeu em sua casa os avós, os tios e os primos de primeiro e segundo graus. No dia em que ela, sozinha, deu os primeiros passos, estavam todos reunidos, como uma torcida em um jogo decisivo do campeonato. O tio comia pipoca sem tirar os olhos da criança; a tia mordia as unhas; o primo, de olhos arregalados, segurava uma garrafa de refrigerante. Um silêncio ansioso imperava no ambiente. Os expectadores não conseguiam esconder o nervosismo. A mãe, de um lado, segurava as mãos de Rafaela; do outro, o pai a chamava:

— Vem, Rafaela, vem até o papai.

A menina gargalhou gostosamente, deu um passo à frente, soltou a mão esquerda, deu outro passo e livrou a sua mão direita que ainda se apoiava na mãe. Quando se viu em pé e totalmente livre, sentiu certa insegurança; notou que os seus parentes lhe faziam sinal de incentivo. Olhou para o pai, que continuava a chamá-la, sorriu outra vez e, como que pensando: "não posso e não quero decepcioná-los, tem que ser agora", saiu em disparada alcançando o pai, que lhe abraçou, feliz. A parentela não conteve a emoção e saltou gritando como se comemorasse o gol da vitória.

— Eeeh! — gritaram em uníssono, e depois se abraçaram comemorando mais um passo importante do desenvolvimento de Rafaela.

O que é Natal?

Já exaltam o que envolve essa comemoração. Destacam o Papai Barbudo, as crianças ficam encantadas, e não é para menos: os enfeites dão um toque especial aos prédios, às casas, às ruas e às praças. Não há quem diga que não tem sentido, que tudo é desnecessário; há, sim, os que puxam saco para mais perto de si. O comércio quer vender mais do que no ano passado, a indústria quer produzir em dobro. O menino e a menina não querem ficar sem o presente, o amigo secreto espera receber o que pediu e até o barrigudinho procura uma vaga de Noel. Todos querem confraternizar, e a família quer fazer festa. Os hotéis querem receber bastante hóspedes e as pessoas realmente desejam sair um pouco da rotina. As rádios e tevês já rodam suas vinhetas natalinas, e os corais já ensaiam músicas propícias.

E tem também aqueles que se lembram de Jesus e ainda guardam a espiritualidade do momento e dizem que Natal é o período para se instaurar um novo tempo. Tempo de mais justiça, mais paz, mais perdão, mais fraternidade e caridade. Mas será que, depois da festa, a ressaca e a rotina não nos fazem esquecer tudo?

Alguém insistia em algum lugar: "Tem que ir à missa no dia 24. Natal não é só comilança e troca de lembranças. O champanhe não pode substituir o cálice sagrado". E questionava: "Papai Noel ficou mais importante que o aniversariante? O que está montado em sua casa? Um presépio ou uma árvore simplesmente?".

Claro que o sermão é pertinente, mas ele pode mudar o ambiente e realmente propor algo diferente. Claro que contradições sempre existirão, mas tomara que comece a transformação no coração e nas atitudes de quem ensina. Que o nome de Jesus não seja usado apenas como meio de se ganhar dinheiro e manter *status*. Que não seja usado para legitimar loucuras de gente que detesta a humanidade e, por isso, impõe aos outros austeridade, castração das vontades, aprisionando almas em nome de Deus.

Que a mensagem seja mesmo compreendida: "Deus, Criador e Senhor dos Exércitos, se faz Pobre Menino Humano". E esse mesmo Deus ensina com clareza e simplicidade que só não aprende quem não quer e prefere se deixar enganar por supostos estudiosos que enganam dizendo: "Ele quis dizer mais do que pôde falar. E nós apenas sabemos e contamos".

E são esses que manipulam e seviciam os outros, apresentam-se como iluminados e vendem passes para os demais terem algum tipo de acesso a Deus.

Natal é mais que simples reunião, mais que consumo, mais que religião. Não vou tentar descrever o que é, pois estaria cometendo o mesmo erro de induzir as consciências. Proponho uma contemplação para se chegar a uma resposta. Olhe para uma criança, leia o Evangelho, olhe para a Terra, olhe para as coisas que Deus criou, escute o que elas dizem e, em seguida, olhe para si mesmo, veja o próprio interior. E então, entenderá o que é Natal.

Será esse o último Natal do Papai Noel?

Ele rapidamente ensacava os objetos devidamente embrulhados, sentia que o tempo passava rápido demais e logo chegariam os convidados. Finalmente passou a fita e fez um laço na boca do saco. Calçou as botas, colocou o gorro e dirigiu-se ao espelho. Deu uma escovada na barba e puxou o cinto para a direita, de modo que a fivela ficasse bem no centro. Pronto. Enfim se preparou para descer a escada, mas o seu coração disparou. De repente, parou em um dos degraus e uma lágrima rolou de seus olhos. Era a última vez, não tinha mais esperança de repetir esse ritual no ano seguinte, aliás, sabia que era uma despedida e seria a última apresentação de um espetáculo em cartaz havia quinze anos. Lembrou da estreia e como aceitara fazer esse papel.

A irmã voltava de uma das visitas que diariamente fazia ao pai, hospitalizado havia dois meses.

— Benício, o médico disse que o estado dele é grave.

— Vamos entregar nas mãos de Deus, mas eu acredito que ele vai se recuperar — ele respondeu.

— Benício, você precisa ir vê-lo amanhã, sem falta — ela começou a chorar —, ele quer muito falar com você.

— Eu irei, mas tenha confiança, Ana.

— Temos de ser realistas, Benício.

Benício nem imaginava que o pai fosse lhe fazer aquele pedido.

— Filho, quero que saiba que eu te amo. Não fique triste, estou muito tranquilo. Estou em paz. Só lhe peço uma coisa: não deixe acabar o Natal das crianças.

— Pai — disse ele, tentando passar confiança —, o senhor vai ficar bem e as crianças vão ter o melhor Natal da vida delas neste ano.

— Prometa-me — insistiu o senhor Geraldo —, prometa que vai cuidar para que elas tenham a festa e os presentes.

Benício não levava nenhum jeito para isso, não era tão divertido como o pai e nem tinha muita paixão por crianças; na verdade, elas o irritavam e ele dizia que jamais teria filhos ou faria qualquer tipo de trabalho que envolvesse crianças.

— Vou ajudar o senhor, pai.

— Vai me substituir, filho?

— Se for preciso, sim — respondeu, esquecendo-se de si mesmo e de suas convicções.

— Prepare-se, então — disse Geraldo —, daqui a uma semana já é Natal.

— Pai...

— Filho, eu já lhe disse que estou bem. Agora, melhor ainda, sabendo que você vai cuidar para que as crianças fiquem felizes.

Benício abraçou Geraldo e derrubou lágrimas em silêncio. Ele não tinha dúvidas de que aquela era uma despedida. Logo apareceu uma enfermeira avisando que o paciente seria transferido para a UTI. Isso significava que o enfermo precisava de cuidados especiais, mas tanto Geraldo quanto Benício compreenderam que era chegada a hora.

Benício ligou para a irmã e permaneceu nas dependências do hospital. Não demorou dez minutos até ter notícias do pai, e recebeu a informação de que Geraldo não estava reagindo ao tratamento. Em seguida, foi chamado para conversar com o médico. O filho não tinha mais esperança de ouvir outra coisa do médico senão que seu pai não resistira.

Benício ouviu a algazarra das crianças que chegavam e continuou a descer os degraus. Quando estava já bem próximo do térreo, soltou a risada, imitando o personagem mais tradicional do Natal:

— Ho, ho, ho! — e badalou a sineta.

As crianças se emocionaram e gritaram em uníssono:

— Papai Noel!

Benício logo se misturou a elas, brincando, dançando, apertando a mão de todas, sorrindo e propondo que elas o ajudassem a entoar a canção:

Hoje a noite é bela
vamos à capela
juntos eu e ela
felizes a rezar...

Em seguida, Papai Noel abriu o saco e distribuiu os presentes. As crianças gritavam e algumas até choravam de alegria. Depois de se acostumarem um pouco com os brinquedos, foram convidadas a comer a maravilhosa refeição preparada especialmente para elas. Enquanto estavam comendo, Benício se dirigiu para a sala ao lado, parou diante da cadeira que fora de seu avô e de seu pai e lembrou das histórias que ouvira dos dois sentados ali. Rememorou que eles falavam com orgulho da ajuda que ofereciam às crianças do orfanato e do quanto eram felizes por promoverem a festa de Natal todos os anos para elas. Benício, mais uma vez, sentiu vontade de chorar, e só não o fez porque sentiu a mão de sua irmã pousando sobre seus ombros. Ele sabia que era ela, pois era costume dela lhe fazer uma pequena massagem com os dedos.

— Ana, sou muito feliz por ter aceitado o pedido do papai em continuar seu trabalho pelas crianças.

— Elas gostam demais de você, como gostavam do papai e do vovô. Obrigada por você ser assim tão especial — disse ela, com sinceridade e carinho.

— Mas há algo que quero lhe dizer...

— Pode falar, Benício.

— Estou preocupado — disse ele. — Eu não tenho filhos e nem você, quem vai continuar?

— Deus vai mostrar alguém — respondeu ela.

— Quando?

— Não sei — respondeu ela, afastando-se um pouco dele.

Ele se dirigiu à cadeira, sentou-se colocou a mão direita na barba branca e olhou para o teto. Ela percebeu que ele estava preocupado com mais alguma coisa.

— O que foi? — perguntou ela.

— Eu nunca lhe falei... Eu tenho a mesma doença do vovô e do papai.

— Benício, nós somos filhos adotivos — lembrou Ana —, a doença é genética.

— Eu não sei como, mas fiz os exames, refiz todos eles e foi constatado...

— Eu não entendo — disse a irmã, sentando-se também em outra cadeira.

— Mas como está a sua saúde, meu irmão?

— O meu caso já está bem avançado, não há mais o que fazer.

— Quando você descobriu?

— Há uma semana.

— Mas... Por que papai não contou? — perguntou a irmã, virando o rosto para o outro lado. — Teríamos cuidado de você.

— Não podemos julgá-lo. Não sabemos o que aconteceu.

— Quanto tempo você acha? — perguntou ela, com bastante pesar.

— Já estou no meu trigésimo dia extra — respondeu ele, mostrando um pequeno sorriso.

E foi nesse momento que apareceu Janice, a mulher de sessenta anos que trabalhava havia quase trinta com a família.

— As crianças já estão alimentadas, podemos começar a projeção do filme?

Os irmãos balançaram a cabeça positivamente, e Janice ficou olhando para eles por alguns instantes; percebia que algo não estava bem, mas não quis perguntar nada para não ser inconveniente.

— Vamos à sessão de cinema — disse Benício, levantando-se.

Depois que os dois deram as costas, Ana desabou a chorar. Então entrou um menino na sala, ele tinha lá os seus doze anos, parou diante da mulher e ficou a fitá-la com seus olhos negros. Ela, percebendo a sua presença, disse:

— Você se perdeu do resto do grupo?

— Não, eu vim buscar você, titia — disse ele com carinho.

Ela se emocionou novamente, sorriu e sentiu os olhos umedecerem ainda mais, as lágrimas de tristeza agora se misturavam às de alegria. — Obrigada, querido, fico muito lisonjeada — levantou-se e estendeu a mão para seu pequeno acompanhante — então vamos.

O menino ficou imóvel, ela continuou com a mão estendida no ar e ele disse:

— Obrigado pelo que vocês fazem por mim e por meus irmãos.

O coração de Ana estremeceu, ela pensou que não iria conseguir conter tanta emoção, principalmente quando ele completou — eu quero ajudar vocês nesse trabalho.

— Como é o seu nome, menino?

— João, minha mãe tentou me matar quando eu tinha seis anos. O namorado dela não gostava de mim. Eu fugi e andei pelas ruas até que me pegaram e me levaram para ela de novo. Eu contei o que tinha acontecido para o pessoal que dá assistência à infância, mas eles não quiseram me ouvir e minha mãe fez outra tentativa de me eliminar, dessa vez com um pedaço de pau. Fingi que estava morto, e quando ela saiu, corri pedindo ajuda aos vizinhos. Hoje, sou feliz no orfanato, porque conheço pessoas como você, o seu irmão e os funcionários. Então, aceitam a minha ajuda?

Ana sorriu e o abraçou. Seja muito bem-vindo à nossa pequena família! Você vai ser um excelente Papai Noel.

E assim seguiram para a sala onde estava sendo exibido o filme sobre a vida de Jesus. Benício já havia tirado a roupa de Papai Noel, estava abraçado a duas crianças, uma de cada lado. Depois de algum tempo, tirou os olhos da tela, abaixando a cabeça. Ana pensou: "Ele está mesmo cansado, dormiu durante a sessão".

Quando, ao final da projeção, apareceu a palavra "fim" e todos começaram a se retirar, algumas crianças perguntaram:

— E o tio Benício, não vamos acordá-lo?

Ana segurou a mão do irmão e respondeu:

— Deixe-o dormir um pouco mais — mas ela sabia que ele havia encerrado, para sempre, as suas atividades neste mundo.

Enquanto houver pessoas de boa vontade, a obra do bem vai continuar.

De encontro à água viva

Naquele dia, senti sede e saí a buscar
A água que ansiava encontrar
O rio não estava longe da vista
Mas os meus passos desvalidos
Tremiam na estrada da vida
Desobedecendo ao meu desejo
Atraindo meu corpo ao chão
Foi então que tentei resistir
Firmei um propósito de seguir
Pois somente a água viva
Restauraria minhas forças
Revitalizaria meu espírito
Meu corpo finalmente reagiu
Meus pés apontaram o rumo
Minhas pernas ficaram a prumo
E me lancei ao destino enfim
E assim se deu a ablução
Meu coração foi purificado
Minha alma foi alvejada
E minha vida, transformada

Profecias infantis

Com cinco anos de idade, Rafaela começou a frequentar a escola.

— Rafaela, hoje está bastante calor, você pode tirar a jaqueta.

A menina não tinha vergonha daquilo que tinha a mais, porém, advertiu:

— Mas, professora, a mamãe disse para eu não tirar.

A mulher, muito sábia, logo percebeu algo estranho e preferiu deixar do jeito que estava. Depois da aula, conversou com a mãe da sua aluna, que não fez muitos rodeios para lhe contar a verdade.

— Mas isso é maravilhoso! — disse a professora. — Vou preparar meus alunos, eles precisam saber lidar com as diferenças de cada um.

E assim o fez. Alguns dos seus aluninhos choraram, outros riram, outros ficaram imóveis, mas todos permaneceram com o olhar fixo em Rafaela, que, sem inibição, exibia as suas belíssimas asinhas. Um dos meninos disse:

— Eu já vi dessas na procissão da minha igreja.

— Eu já vi na televisão — emendou o outro.

As crianças não deixaram de contar para seus pais, mas eles pensaram tratar-se de mais uma encenação, como tantas outras que já haviam sido feitas na escola.

A mãe se preocupava com a filha e sempre perguntava como ela estava se saindo na escola; queria saber como era seu relacionamento com as outras crianças, com os professores e como eles a tratavam. Rafaela nunca se queixava, falava de um e de outro sempre com alegria e carinho.

— Mamãe, a Luana perguntou o que podia fazer para ter asas como as minhas — disse, alegre, a pequena Rafaela.

— O que você respondeu, querida?

— Perguntei se ela gostava bastante do pai e da mãe dela — respondeu a menina —; se ela gostava dos seus tios, dos seus avós, dos seus primos... — continuou Rafaela.

— O que ela respondeu? — perguntou a mãe.

— Respondeu que não gostava do irmão, porque ele brigava com ela. Eu lhe disse que quando ela gostasse bastante dele, teria asas como as minhas.

— Gostei da resposta, filha — elogiou a mãe.

— Mamãe, sabe o Marquinho, filho daquela vizinha? — perguntou Rafaela, para introduzir o próximo exemplo.

— Humm! — fez a mãe, dando a entender que lembrava do menino.

— Ele quis trocar sua bola de futebol e a sua roupa do time pelas minhas asas — disse a menina.

— E o que você disse a ele?

— Disse que a bola e o uniforme eram mais úteis para ele do que as minhas asas. Que no futuro ele seria um grande jogador.

A mãe ficou surpresa e deu um sorriso para disfarçar sua expressão de perplexidade. Não disse nada, mas pensou se sua filha dissera aquilo para simplesmente incentivar o colega ou se ela estava antecipando o futuro. De uma forma ou de outra, a resposta tinha um caráter especial.

— Mamãe, o Paulinho se aproximou de mim e disse que um dia ele ganharia asas iguais às minhas.

— Ah, sim! — fez a mãe com curiosidade, com a esperança de ouvir a resposta à sua dúvida.

— Disse que ele tinha razão, pois logo depois que fizesse catorze anos ele voaria até o céu.

— Por que você disse isso, filhinha?

— Eu não sei, mamãe.

A MENINA MIUDINHA
(Inspirado no conto "Mindinha", de Hans Christian Andersen.)

Era uma vez uma mulher que se sentia muito sozinha. Ela era uma boa pessoa, mas não tinha facilidade para fazer amigos, as pessoas se afastavam dela. Desde o tempo de escola, era isolada e não tinha amigos. Ninguém se aproximava dela, nem os professores lhe davam muita atenção, pois eles estavam muito ocupados em ensinar. Essa mulher não se casara, porém tinha um sonho: ser mãe. Certo final de tarde, foi surpreendida com batidas na porta de sua humilde casa e correu para saber quem era, na esperança de que fosse alguém para lhe fazer companhia.

— Olá, generosa senhora, teria algo para uma pobre velha matar a fome?

— Sim — respondeu, com simpatia —, acabei de fazer uma sopa gostosa, entre e partilhe comigo esta refeição.

Elas se alimentaram e ficaram até altas horas conversando, brincando e rindo juntas. Então a mendiga se levantou e disse:

— Preciso ir embora. Muito obrigada pela sua generosidade. Gostaria de retribuir este carinho de alguma maneira. A senhora tem algum sonho?

— Sim — respondeu a mulher, com um brilho nos olhos —, gostaria de ter uma criança que me fizesse companhia.

A mendiga mexeu no bolso de seu velho casaco, tirou algo e estendeu o braço para a bondosa senhora.

— Tome, é uma semente mágica; plante-a e logo verá seu sonho realizado — e se foi pela noite afora.

A mulher olhou aquela semente, e mesmo sem entender bem as palavras da velha, colocou-a em um vaso com terra, depois pegou seu paninho e se pôs a bordar. No entanto, ela não deixava de olhar frequentemente para o vasinho. Assim, caiu no sono, ali mesmo, sentada na cadeira. Mas ainda no meio da noite acordou, e qual não foi sua surpresa ao se deparar com uma linda tulipa.

— Ela tinha razão — disse, maravilhada —, a semente é mágica.

E de repente a flor se abriu e dentro dela havia uma criaturinha.

— Que linda menininha, mas é tão miudinha!

A criança espreguiçou-se e perguntou:

— Você é a minha mãe?

— Sim, sou a sua mãe e vou amá-la e protegê-la para sempre.

Aquela garotinha logo sofreria com a crueldade do mundo. Tudo e todos eram tão grandes perto dela. Ela foi matriculada em uma escola, mas as outras meninas a desprezavam, não a escolhiam para fazer parte dos grupos de estudo. Afinal, sua letra era muito pequena. Os meninos diziam debochando:

— Você não é de verdade, é apenas uma boneca.

Uma vez colocaram Miudinha em cima do armário e ela não conseguia descer; gritava, mas ninguém a ouvia ou fingia não ouvir. Uma vez, um garoto malvado a colocou no bolso durante o intervalo e ela não pôde comer seu lanche. O menino só a soltou quando acabou o recreio.

A minúscula menina, às vezes, era pisoteada porque todos queriam correr quando dava o sinal para irem embora, ninguém respeitava o seu tamanho.

Quando chegava em casa, ela chorava no colo da mãe, e a boa senhora sentia a dor no coração por não poder cumprir a promessa de proteger sua querida menininha. Então essa mãe orou aos céus e algo aconteceu.

A menininha estava na escola e vários colegas zombavam dela. Diziam:

— Pintora de rodapé, jóquei de pulga, tampinha, piolho, Topo Gigio, formiga, poeira de sótão, semente de gente, miniatura do cão — entre outros termos.

E todos aplaudiam como zombaria. De repente, ela começou a crescer, crescer e ficou gigantesca. Então colocou todos que zombavam dela nas mãos e ameaçou:

— Acho que sou eu quem vai aplaudir vocês agora.

Eles ficaram com muito medo de serem esmagados ou caírem no chão, pois estavam no alto e começaram a pedir perdão e prometer que nunca mais fariam mal a ninguém, nem ofenderiam os colegas. A menininha atendeu aos apelos e depois voltou ao seu tamanho de antes, tornou-se adulta, casou-se com um príncipe e se tornou a menor mulher mais querida do universo.

Que Deus proteja todos os pequenos que sofrem pela crueldade dos colegas nas escolas e em outros lugares.

Renivaldo, O Patinho Feio
(Baseado em fatos reais)

Renivaldo sempre sofreu *bullying*. Dizem que antes de nascer, sua mãe já tinha de aguentar piadinhas do tipo: "você está grávida mesmo ou engoliu um caroço?" ou, "você arrumou essa gravidez na feira da madrugada?". Quando ele nasceu, a mãe perguntou à enfermeira:

— É um menino? — e ela respondeu:

— Acho que é, pelo menos tem biluzinho.

E ele não recebeu do médico um tapinha no bumbum, mas um tabefe na cara. Ainda na maternidade, uma enfermeira perguntou para a outra:

— Quantos bebês você contou? — e a resposta: — Seis, e mais aquela coisa ali.

Quando os parentes viram a criança pela primeira vez, alguém disse:

— É a cara do pai — mas ele ficou bravo e retrucou:

— Não me ofende, não!

E assim Renivaldo viveu sua infância e adolescência. Na escola, todos os dias ele ganhava um apelido novo, um tapa, um soco e um pontapé. Os colegas, professores, diretores e inspetores apenas assistiam às cenas e não faziam nada. Certa vez ele revidou um soco na barriga e acertou o nariz do provocador. O melado escorreu do outro, e Renivaldo foi levado à diretoria. Tomou uma bronca:

— Você é um menino bagunceiro e violento, vai ficar suspenso para aprender.

E ficou de castigo em casa sem poder assistir televisão, nem pegar seus brinquedos. Mas estava feliz, pois longe da escola ele quase tinha paz, não fossem os seus pais dizendo a todo instante:

— Vagabundo inútil! Vai ser o que quando crescer? Filhote de cruz credo com deus me livre!

Mas ele teve de voltar àquele inferno chamado escola, e as torturas continuavam. Agora, ele tinha fama na escola inteira. Pessoas de outras salas olhavam para ele e diziam:

— Cuidado, ele é louco.

E escondiam seu material, roubavam seu lanche, rabiscavam seus cadernos... E as agressões físicas voltaram.

Renivaldo pensava: "se eu tivesse um fuzil... Ratatatá, tatá, tatá". Mas a perseguição a ele tendia a aumentar. Faziam desenhos de caveiras, sapos na lousa e colocavam o nome dele. Certa vez escreveram: "Renivaldo é uma mistura de Serra com Ronaldinho Gaúcho". E outra vez: "Quem disse que ET não existe? Olha o Renivaldo aí". Quando ele pegava o apagador, levava sopapos de vários lados.

Mas ele cansou de ser o saco de pancadas da turma e foi fazer um curso de artes marciais com o objetivo de se vingar de todos os algozes. Porém, nesse curso aprendeu coisa melhor do que vingança. Aprendeu a ter autoestima e considerar aqueles agressores como os verdadeiros infelizes.

Renivaldo seguiu adiante e se tornou um profissional respeitado na área de exportação. É um homem elegante, charmoso e querido pelas mulheres. Às vezes ele tem notícia de alguns dos seus perseguidores na escola, quando abre a página policial do seu jornal.

Rafaela, vítima do ciúme

Mas nem tudo na vida de uma criança especial é festa, ela também precisa enfrentar situações difíceis. Já no primeiro ano primário, uma menina chamada Sula sentia muito ciúme de Rafaela por sua popularidade entre as outras crianças e os professores. Sula conseguiu entrar na sala de aula quando não havia ninguém e escondeu seu estojo, contendo suas canetas coloridas, na mochila de Rafaela. Quando todos se reuniram novamente na sala de aula após o intervalo, a menina, com más intenções, reclamou à professora o sumiço do seu estojo. A professora o procurou pela sala e não teve sucesso na sua investigação.

— Sula, tem certeza que você não o esqueceu em outro lugar? — perguntou a professora.

— Eu não o tirei da sala, professora — respondeu a aluna.

— Quem escondeu o estojo da Sula por brincadeira, faça o favor de devolver — disse a professora, mas ninguém se manifestou.

Ela então propôs:

— Vamos todos sair da sala. Cada um vai entrar aqui, olhar as suas coisas e quem estiver com o estojo da Sula vai colocá-lo junto ao material dela e tudo vai ficar bem. Depois vou dar uma aula sobre a importância de nunca pegar as coisas dos outros sem permissão, nem por brincadeira.

— Mas professora, por que a senhora não revista um por um? — sugeriu Sula, prevendo o fracasso do seu plano maléfico.

— Não quero que ninguém fique constrangido, a vergonha não vai mudar a pessoa. Acredito que quem fez isso pode se corrigir sem ficar mal com os colegas — disse a professora, com a sensatez que lhe era peculiar.

As crianças saíram da sala e fizeram conforme a sugestão da professora. Uma por uma, elas procuraram em suas mochilas o objeto que não lhes pertencia. Elas entenderam que, mesmo estando cientes da própria inocência, o culpado poderia ter escondido o objeto entre suas coisas. Rafaela, ao encontrar em sua mochila o estojo que não era seu, entendeu a intenção da sua colega. Sentiu raiva, medo e logo em seguida se encheu de compaixão pela menina que estava tentando incriminá-la. Ela pegou o estojo da colega e também o seu, que ganhara do tio, escreveu algo no fundo dele e colocou os dois junto às coisas da menina Sula.

Todos voltaram à sala. Sula encontrou entre seu material, não apenas o seu próprio estojo, mas também o de Rafaela, que continha a frase: "É um presente. Se de agora em diante, você perder um, tem o outro. De sua amiga Rafaela".

— Que bom, Sula! Você não só recuperou o seu como ganhou outro — comentou, sorrindo, a professora, olhando para a menina que tentava esconder a vergonha que sentia.

A acusação

Um homem procurou o juiz, que era muito considerado por sua sabedoria. Esse homem acusava outro de ter mordido a sua orelha. O acusado se defendia, dizendo que o acusador mentia, pois ele mesmo havia mordido a própria orelha e agora o acusava para lhe tirar qualquer indenização. O sábio juiz então questionou o acusado:

— Mas como se pode morder a própria orelha?

— Acredite, ele fez isso para me acusar.

Então o juiz escreveu algo em um pedaço de papel e colou na nuca do acusado e disse: você está livre da acusação desde que leia agora o que escrevi.

O acusado se defendeu:

— Mas como poderei enxergar minha própria nuca?

O juiz apontou para a vítima:

— Do mesmo modo que ele pode morder a própria orelha.

E o juiz então aplicou a punição ao agressor.

Eu, moleque, e as pulgas

Eu era um menino muito magro, mas tão magro, que quando brincava de esconde-esconde, não me enfiava debaixo das coisas, só me virava de lado... E ninguém me via.

Certa vez peguei um pedaço de bolo para comer escondido. Quando voltei, satisfeito com aquela cara de inocente, confiante de que ninguém desconfiaria de nada, minha mãe disse:

— Moleque sem vergonha! Ladrãozinho safado!

Mas como ela descobriu?

Claro, eu era tão magro, que dava para ver o pedaço de bolo fazendo uma saliência na minha barriga.

Acho que era por eu ser tão magro que os adultos não falavam comigo, eles não me enxergavam...

Cumprimentavam a todos:

— Boa tarde, dona Júlia; boa tarde, seu Sebastião; boa tarde, Lúcia; boa tarde, Mário... (estendo a mão como quem espera um aperto, mas fico no vácuo).

Eu me lembro muito bem do Jonas; era um rapaz que namorava minha irmã, mas quando ela descobriu, terminou o namoro... Ele morria de paixão por ela. Vou descrever o Jonas para vocês: ele era alto... Imaginem uma abóbora moranga em cima da geladeira... Assim era o Jonas. Uma mistura de Johnny Bravo com Roberto Leal.

Impressionante que ele nunca falava comigo, mas certa vez me perguntou:

— Você gostaria mesmo que eu casasse com sua irmã?

Ele era pernambucano... Metido a carioca. Não sei por que ele não gostava da sua naturalidade.

Olhei para aquela moranga em cima da geladeira e respondi:

— Se ela quiser entrar numa fria...

Minha irmã nunca quis nada com ele e eu fiquei feliz por não tê-lo como cunhado.

Lembro também que existia muita pulga em casa. Eram como bichos de estimação: havia a Pupu, a Pula-pula, a Gretchen... a Wilza Carla, enorme; a Bicona, que entrava em cada lugar sem ser convidada... Era tanta pulga, que eu não dava mais conta de dar nome a elas.

Uma vez, a vizinha estava conversando com minha mãe sobre a gente, os filhos:

— E o Aberio, o que ele vai ser quando crescer?

Minha mãe não sabia, ela olhou para mim, que estava ali incomodado pelas minhas pulguinhas (danço como quem está se coçando) e ela respondeu:

— Dançarino...

Ela foi profetisa, pois adivinhou que eu iria ter que rebolar na vida...

Mas a gente tomava banho, sim... Todo sábado!

E minha família já tinha consciência ambiental: economizava bastante água...

A mesma água era usada para todo mundo tomar banho. Éramos onze... O banho era por ordem de idade, primeiro os mais velhos. Eu sou o sétimo filho. Por sorte, na minha vez a água ainda não estava preta... Estava só marrom...

E para enxugar também era a mesma toalha para todos... Imagine. Coitado do último!

Não estou ficando velho, não

Você tenta não pensar que está envelhecendo, mas não tem jeito. Vê os jovens curtindo Lady Gaga e ainda nem conseguiu engolir a irreverência da Madonna. Eles dançando com a Beyoncé e você ainda tentando aprender os passos do Sidney Magal. Você ouve o programa do Altieres Barbiero e consegue cantar junto todas as músicas que ele toca.

Evita falar a sua idade para não criar um abismo entre você e a outra geração, mas quando alguém fala de novela você se empolga: "Boa mesmo foi 'Roque Santeiro'".

Meu Deus! Eu ainda me lembro de ter assistido à tevê em preto e branco! Lembro que se vendiam aqueles plásticos coloridos para se colocar na frente da telinha e se ter a ilusão de ver televisão colorida.

E aquela técnica de bater com a colher na válvula do aparelho para a imagem voltar. Que coisa! Eu ainda tenho saudades do Nacional Kid e do monstrinho Guzula que comia ferro. Que é isso?

Quando o assunto é cinema você se lembra dos seus filmes favoritos: *Noviça Rebelde, E o Vento Levou, Doutor Jivago, King Kong*.

A gente recorda que tem um assunto para resolver, uma conversa para terminar e se dá conta de que já se passaram dez anos.

Você vai a uma festa e acha estranho que ninguém mais dança junto. O pior é você sentir sede e pedir uma Grapete para o garçom.

Não estou ficando velho, é que um ano parece um mês para mim, um mês parece uma semana, uma semana parece um dia. Está tudo acelerado. Eu penso em fazer alguma coisa diferente para me sentir mais jovem. Sei lá. Ir a uma discoteca, dançar lambada, comprar um CD do Rolling Stones, do Christian e Ralf... O quê? Não existe mais discoteca, ninguém mais dança lambada, os Rollings Stones já estão chegando aos setenta anos, Christian e Ralf não são mais a moderna música sertaneja? CD é coisa do passado, dá para baixar as músicas na internet? E o que eu faço com os meus discos de vinil e com as fitas cassete? E eu que estava pensando em comprar um três em um novo!

Chega! Juro que não vou sentir saudade do carrinho de rolimã, do "passa-anel", do "cor, flor ou fruta". Nem da brincadeira do "Vamos passear na floresta, enquanto seu lobo não vem. Tá pronto, seu lobo?". E do "Somos todos marinheiros da Europa pa pa...". E "Passa, passa três vezes, a última que ficar...".

Não, tenho de ser moderno: vou ligar meu *notebook*, meu Ipod e meu Ipad, antes que se tornem coisas do passado também.

O quê? Já tem coisa nova por aí?

Vamos devagar, não consigo ser tão moderno assim.

Liberto e curado

Maior liberdade é querer
E buscar o que se quer
E se empenhar em fazer
Agir como der e puder
Quebrar as portas da prisão
Romper as cordas dos pulsos
Libertar o grito do coração
E afastar os espíritos confusos
Curar um corpo em doença
Voltar ao mundo da luz
Distribuir sonho e esperança
Diminuir o peso da cruz
Receber a cura integral
E liberdade pura e verídica
E proteção contra o mal
Numa vida simples e idílica

Os enfeites natalinos e o presépio

— Vocês ouviram, pessoal? — perguntou a estrela, mostrando-se muito preocupada. — Eles vão me separar de vocês.

— Que história é essa? — retrucou uma das bolinhas. — Ninguém vai mais mexer na árvore, o Natal já se aproxima.

— A estrela tem razão — disse uma das bolas maiores —, eu também ouvi dizer que vão usá-la para enfeitar outro lugar.

— Mas que lugar é esse? — quis saber o Papai Noel de porcelana.

— Sim, que outro lugar é esse? — reforçou a caixinha de presente.

De repente, uma pessoa da casa se aproximou e deixou ali perto um enfeite bem diferente de todos aqueles que estavam na árvore.

— Quem é esse? — espantou-se a bolinha de plástico.

— É um burrinho — respondeu o pisca-pisca.

— Burrinho? O que é um burrinho? — perguntou o lacinho de tecido azul; mas, antes que alguém respondesse, o burrinho se virou para eles e disse:

— Olá, estou esperando os meus amigos. Nós vamos fazer parte do presépio.

— O que é um presépio? — perguntou a guirlanda.

— Eu já vi um presépio — disse o Papai Noel —, nele, havia várias figuras de gente e animais.

— Mas o que os animais têm a ver com o nascimento de Jesus? — perguntou uma bolinha.

— Tudo a ver! — respondeu o burrinho. — Lembre-se de que Jesus, o Salvador da humanidade, entrou na cidade de Jerusalém montado em um burrinho.

— E conta-se — interferiu a árvore — que Jesus nasceu num estábulo, lugar onde se recolhem os animais.

— Puxa! — pasmou-se a guirlanda. — Alguém tão importante nascer em um lugar assim!

— Você não está insinuando — perguntou o burrinho, deixando transparecer certa indignação — que nós não somos importantes?

— Eu não quis dizer isso, mas por que ele não nasceu entre os humanos?

— Ele recebeu muitas visitas de pessoas, o presépio mostra os pastores e os reis magos — disse a árvore. — Jesus, na verdade, é o Senhor de todos, das pessoas pobres, dos reis e dos animais.

— Meus amigos estão vindo. Feliz Natal para vocês! — despediu-se o burrinho.

— Eu também preciso ir — disse a estrela —, sinto deixar vocês, mas estou feliz porque o presépio também é importante para homenagear o Rei do universo. E vou poder fazer outros amigos.

— Mas quem vai ficar no seu lugar? — perguntou o Papai Noel.

E imediatamente, após retirarem a estrela, colocaram um sininho.

— Quem é? — perguntou baixinho uma bolinha.

— Oi gente — disse o sininho —, cheguei para anunciar que o Natal já se aproxima. Tilim, tilim, tilim.

A MISSÃO É OUTRA

Certa feita eu me ofereci a servir
Coloquei-me a caminho, estendi a mão e pedi:
"Usa-me, Senhor, pois seu servo está aqui"
E não como raio nem trovão, a voz eu ouvi:
"Volta para onde tu estavas e fica ali,
Pois a missão é outra que quero de ti
No teu lugar, no teu silêncio uso-te assim
Não quero angústia, nem aflições por aí
Não pense que ser sofredor agrada a mim
Quero o coração da gente contente e por fim
Peço que sejas como uma flor no meu jardim
Talvez rosa, margarida, orquídea ou jasmim
De ti extrairei o perfume, o néctar e o carmim"

O TESTE

Um grupo de sete pessoas, formado por quatro homens e três mulheres, foi participar de uma dinâmica de seleção feita por uma conceituada empresa. O responsável entregou a cada um dos participantes um cartão e disse que aquela era a primeira dica que teriam para conseguir sucesso na tarefa. Os cartões, porém não eram quadrados ou retangulares como costumam ser os cartões comuns, tinham formas diversas com diversos lados retos ou arredondados. O responsável falou:

— Vocês têm como tarefa encontrar, no interior desta casa, algumas pastas contendo normas e informações importantes. Aqueles que as encontrarem serão contratados.

Perceberam que na casa havia muitos quadros pendurados nas paredes, todos bem parecidos. Os participantes começaram a revirar o imóvel, abrindo gavetas e enfiando as mãos em vasos. Mas todos eles olhavam para o cartão e não sabiam em que ele poderia ajudar. Cada um se empenhou bastante em procurar, porém ninguém encontrou pasta nenhuma. O sinal soou, o tempo expirava e todos deveriam retornar à sala de início. O responsável lamentou:

— Infelizmente ninguém passou no teste. Falta algo essencial em vocês para ocupar cargos nesta empresa.

— O quê? — perguntou um dos participantes fracassados.

— A cooperação — respondeu o responsável —, coloquem os cartões que vocês receberam sobre a mesa.

Todos obedeceram.

— É um quebra-cabeça! — exclamou um deles.

— Sim, é um quebra-cabeça — confirmou o responsável —, e vejam como as peças se encaixam e mostram a gravura de um dos quadros; atrás dele estão as pastas que vocês procuravam.

— Mas por que não fomos informados de que tínhamos de trabalhar em conjunto? — perguntou um participante.

— Capacidade de cooperação é a qualidade mais importante para a nossa empresa. — respondeu o responsável — Vocês não demonstraram isso em nenhum momento.

É preciso perceber que, sozinho, ninguém chega a lugar algum.

O QUE TEM MAIS VALOR: UMA VEZ OU SEMPRE?

O professor perguntou aos alunos se eles já tinham feito alguma coisa boa a alguém. Um deles disse que certa vez havia ajudado uma pessoa que estava ferida na rua; outro disse que trabalhara como voluntário em um hospital de crianças durante uma semana e um terceiro ajudara em um asilo de idosos. Muitas outras respostas foram dadas, como carregar a sacola da tia, lavar a louça para a mãe, doar roupas e distribuir cestas de Natal para os pobres. No entanto, um dos alunos não dava nenhum exemplo e ainda balançava a cabeça, demonstrando que não estava gostando da aula.

O professor, percebendo a sua reação ao exercício proposto, perguntou-lhe:

— E você, Lucas?

— Professor, é muito estranho fazer caridade somente uma vez ou de vez em quando. Penso que para uma atitude ter valor deve ser frequente.

— Vou contar uma história para você e para todos — disse o professor —, prestem atenção. Um ancião muito justo estava sendo ameaçado por um inimigo, mas havia um jovem chamado Eterno, que se propôs a protegê-lo todos os dias. E durante sete anos, assiduamente, acompanhou aquele ancião por onde ele precisasse ir. O inimigo, porém, se manteve distante durante todo esse tempo.

Mas um dia, o pai desse jovem necessitou da ajuda do filho para arrumar o telhado da casa.

Eterno chamou um amigo também jovem, conhecido como Vasqueiro, e pediu que assumisse o seu posto somente por um dia, pois precisaria dar assistência ao seu pai. Esse amigo aceitou, pois estava de folga de seu emprego e teria a grata satisfação de ajudar em nome da amizade e por bem do ancião.

Justo naquele dia o inimigo decidiu atacar, e Vasqueiro, com muita coragem, defendeu o ancião impedindo que ele fosse assassinado. O jovem conseguiu prender o agressor e levá-lo para a cadeia. O ancião finalmente ficou livre dessa ameaça.

— Quem foi mais importante para o ancião: Eterno ou Vasqueiro? — perguntou o professor.

— Acho que foi Vasqueiro — respondeu um dos alunos.

Lucas balançou a cabeça como que dizendo: "eu entendi a mensagem" e respondeu:

— Eterno foi muito importante por sua iniciativa e disponibilidade, mas naquele dia Vasqueiro foi de fundamental importância.

— Se não pode ajudar sempre, ajude de vez em quando — concluiu o professor. — Isso é muito válido.

A verdadeira vitória

Todos queremos alcançar a vitória, mas afinal o que é, de verdade, a glória?
Se desejamos de fato vencer, precisamos saber o que isso vem a ser.

Aqui proponho uma reflexão sobre o tema em questão.

Não é uma mensagem de autoajuda, pois a vida é luta, é um "deus nos acuda".

Viver não é seguir uma regrinha, como fazer a lição passada na escolinha.

Não é repetir a fórmula dos antigos, como se tudo já se tivessem sabido.

Por isso, temos de rejeitar a obrigação de copiar um modelo de ação.

Temos que rejeitar a ordenança que nos vem como forma de cobrança.

Ouvimos: "É preciso ser o melhor, pois perder é o que há de pior".

"Tem de ganhar o troféu, mais que açúcar você deve ser o mel."

"Tem de ser o primeiro, é preciso ganhar muito dinheiro."

"Tem de ser o mais famoso, é preciso ser o mais formoso."

"Você precisa ser o objeto da escolha, você não pode ficar na bolha."

"Seja sempre o vencedor, pois a maior vergonha é ser o perdedor."

E logo somos envolvidos por essa conversa à qual damos ouvidos.

Pensamos: "Serei o primeiro a chegar no pico, pois aqui em baixo eu não fico".

"Tenho de ficar acima da média, pois quem não se destaca vira comédia."

Será que o primeiro lugar é o único que vale a pena estar?

Será que me tornar o tal vai me livrar da minha natureza animal?

Hoje me desfaço deste ledo engano, não sou semideus, sou apenas humano.

A verdadeira premiação não está nos títulos, nas medalhas ou na posição.

O mestre da vitória é Jesus, ele não subiu no pódio, ele subiu na cruz.

Ele não foi aplaudido e premiado, mas despido e humilhado.

Quero o maior prêmio, para isso não preciso ser o maior gênio.

Quero a mesma vitória do Senhor, quero a liberdade, quero o amor.

A GARGALHADA

Quando atravessou o portão, Adolfo soltou uma gargalhada. Ao entrar no escritório, mais uma vez sorriu com vontade. Quando soube que Mário havia sido promovido em seu lugar, não conteve outra explosão de alegria. Ao saber da notícia de que Ana havia sido demitida e que Lígia continuava na empresa, ele gargalhou novamente. Ao ser informado de que perderam uma concorrência por negligência do diretor, sorriu sem medo. Quando descobriu que diversos clientes haviam cancelado o contrato, pois estavam insatisfeitos com os serviços prestados pela empresa, arreganhou os dentes numa alegria sincera.

Ludovico era um dos colegas de trabalho e testemunhara todos os seus acessos de riso. Antes de terminar o expediente, questionou Adolfo por essas estranhas e exageradas risadas.

— Você já tem outro emprego? — perguntou.

— Não — respondeu Adolfo. — Por quê?

— Mário não merecia ser promovido, não conhece bem a empresa, nem é especialista no ramo. Ele falta muito, não produz o necessário e nem é querido entre os colegas.

— É verdade — concordou Adolfo.

— Ana era uma excelente funcionária, todos nós ficamos sentidos com a sua demissão — continuou Ludovico. — Lígia não faz nada, anda de um lado para outro a matar o tempo e não sabe trabalhar em equipe.

— Concordo e também sinto por Ana.

— O diretor foi escolhido por bajular o presidente, nunca contribuiu de forma positiva com a empresa e tem empregado aqui os seus amigos pessoais, independentemente de possuírem as qualidades necessárias aos cargos ou não. Ele tem deixado a desejar na direção e não é a primeira vez que perde concorrência por falta de empenho. O nosso presidente tem outro empreendimento, bem maior que este, está completamente mergulhado no mundo político e não está se importando muito com o que acontece aqui. A nossa receita diminui a cada dia e estamos caminhando para a falência, graças à incompetência administrativa que temos aqui.

— Você tem razão.

— Então, por que você morre de rir diante de todos esses acontecimentos? — perguntou Ludovico.

— É simples. Eu percebo a cada dia que a vida é muito mais do que tudo isso. E essas pessoas não têm o poder de tirar a minha felicidade — e gargalhou mais uma vez.

Desculpe-me, não queria magoá-lo!

Este é um pedido de desculpas àqueles que se magoam com o crescimento do outro, àqueles que, por qualquer motivo, não aceitam que o outro tem direito de caminhar por si e ser feliz. Este é um pedido de desculpas àqueles que não aceitam que a obra possa crescer também pela dedicação alheia.

Desculpe-me se eu acordei enquanto você continuava dormindo.

Desculpe-me se avistei ao longe enquanto você olhava para o chão.

Desculpe-me se enxerguei adiante enquanto você se voltava para trás.

Desculpe-me se aprendi a andar enquanto você tinha medo de pisar no chão.

Desculpe-me se andei depressa enquanto você estava parado.

Desculpe-me, pois perdi a conta dos quilômetros que trilhei enquanto você contava os passos.

Desculpe-me se machuquei meu pé nos pedregulhos enquanto você não quis tirar os sapatos.

Desculpe-me se me alegrei com a brisa no rosto enquanto você reclamava do frio.

Desculpe-me se minhas pernas se fortaleceram na caminhada enquanto você reclamava do cansaço.

Desculpe-me se fiquei feliz com a paisagem enquanto você afirmava que os lugares não eram tão bonitos.

Desculpe-me por cantar no caminho enquanto você resmungava por causa da distância.

Desculpe-me por apreciar o canto dos pássaros enquanto você reclamava dos ruídos.

Desculpe-me por respirar fundo, sentindo o perfume do lugar, enquanto você tossia com a garganta irritada.

Desculpe-me por gostar da vida enquanto você reclamava dos problemas.

Desculpe-me por sorrir encantado enquanto você preferia fechar o rosto.

Desculpe-me por não querer voltar atrás enquanto você decidiu fazer isso.

Desculpe-me por continuar buscando enquanto você desistia da jornada.

Desculpe-me por sonhar com uma nova realidade enquanto você se limitava a reclamar das coisas reais.

Desculpe-me por me afastar um pouco e, por isso, não poder ouvir as palavras negativas que você proferia.

Desculpe-me se preferi a doçura em vez da amargura.

Desculpe-me por querer ser autêntico e não repetir simplesmente ideias convencionadas.

Desculpe-me se magoei você, pois não tinha intenção de fazê-lo.

Desculpe-me se, de algum modo, atrapalhei você, pois eu só queria continuar o meu caminho.

Desculpe-me se não obedeci a você, pois aprendi que é preciso obedecer antes a Deus que aos homens.

Desculpe-me, eu não queria chatear você.

Desculpe-me, pois eu decidi continuar, mesmo contra a sua vontade.

Eu perdi

Eu perdi o sono, perdi a hora, perdi o ônibus, perdi meu bilhete, perdi o emprego, perdi meu tempo, perdi o dia, perdi a oportunidade, perdi o jogo, perdi dinheiro, perdi a chance, perdi a paciência, perdi a explicação, perdi a inocência, perdi a vergonha, perdi a namorada, perdi o amigo, perdi o programa, perdi o processo, perdi a eleição, perdi a luta, perdi a calma, perdi a graça...

Perdi muita coisa, mas não perdi a fé nem a esperança. E mesmo seguindo com um olhar perdido, batalhando por uma causa perdida e me perdendo nas ruas da cidade, eu não perco o que tenho de mais importante: a certeza de que posso recuperar tudo. A certeza de que as perdas estão me fortalecendo e que, apesar de perder tanta coisa, não posso perder a coragem nem a vontade. E se tiver de continuar perdendo alguma coisa, que seja o medo. O medo de perder, o medo de arriscar, o medo de ser feliz, o medo de viver.

Rafaela, o tempo está chegando!

Todos cantaram "parabéns" e aplaudiram a aniversariante, que sorria feliz perto do lindo bolo todo enfeitado. Depois, fizeram silêncio e olharam atentamente para Rafaela. A menina juntou as mãos no peito e começou a entoar uma canção que ninguém ouvira antes. A melodia era incomparável e todos perceberam que a mocinha estava dirigindo palavras ao próprio Deus por meio da música. Ela dizia que estava chegando o tempo, pedia ao Pai que guardasse sua família e seus amigos, dizia que estava disposta a servir ao Senhor com sua vida.

> Se a emoção de viver me toma o ser
> A inquietude do espírito vem ao alvorecer
> Se o amor que sinto se explode em mim
> Não posso deixar as pedras gritarem assim
>
> Se no meu peito já não pode calar minh'alma
> Escuto tua voz dissipando minha calma
> Já desponta esplêndida luz no meu porvir
> E não há nada que impeça o sol de surgir
>
> Formosa, desabrocha a flor do meu jardim
> É perfumada, linda e colorida como o carmim
> Seu encanto é sedutor, seu sabor, doce-mel!
> É incomparável na terra, inigualável no céu!

PADRE ABERIO CHRISTE

O mundo está clamando: "Vem me ajudar"
E eu imploro agora tua bondade sem par
A mim, que recebo a dádiva dos quinze anos
Peço que aconchegues os meus que tanto amo

E que, se genuína, a amizade perpetue
Como as coisas dela sobre nós sempre flutue
Porém, peço que se cumpra teu divino plano
Pois somente assim, a vida segue sem dano

É chegado o momento, é chegado o momento

Jamais deixes desaparecer esta certeza
Os caminhos sinuosos precisam nos levar
Para que a existência se inunde de beleza
E o sonho se expanda além terra e além-mar
Quando a minha, enfim, está em tuas mãos
Sou como fruto que a outro quer alimentar
E tenho como oferta o meu próprio coração
Que apresento desnudo e despojado no teu altar

Cultivaste-me e colheste-me do pomar
Como pera saborosa, macia e suculenta
Podes consumir-me ou podes me doar
Tua vontade é a carícia que me acalenta
É delícia que tempera meus longos dias

É encanto que me alegra e dá prazer
É fogo que ilumina minhas noites frias
É festa que inebria, é alegria e lazer

É chegado o momento, é chegado o momento

    Enquanto terminava de cantar, estendeu as asas como que para proteger a todos. Os presentes ficaram emocionados, pois sentiram muito forte a presença de Deus ali, naquele instante. A sala, que estava iluminada apenas com velas, ficou repleta de pequenas luzes, como se as estrelas descessem pequeninas para representar o céu nesse debute de menina.

    Por fim, as lâmpadas se acenderam e desapareceram as pequenas luzes como insetos luminosos que fogem à claridade. Rafaela encerrou esse momento solene distribuindo bolo aos convidados. Fazia isso como se entregasse às pessoas um pedaço de si mesma. Elas a abraçavam e a beijavam. Todos queriam tocar na moça que debutava. Era impossível, ao receber o seu sorriso, resistir ao encanto de Rafaela. Ela atraía pela beleza e pela meiguice.

— Quinze anos! Como o tempo passa rápido! — disse a tia —, parece que foi ontem que ela aprendeu a voar.

— O que será da minha sobrinha, agora que já está uma moça feita? — questionou o tio.

— Para mim, ela será sempre o meu pequeno anjinho — falou a avó com orgulho.

Caminhada

Não se inicia uma caminhada sem os primeiros passos,
Não se faz um quilômetro sem um milhar de metros rasos.
Uma jornada é a busca de um lugar bastante distante,
E o caminhar exige que um pé esteja sempre adiante.
O cansaço e a fome inevitavelmente me alcançarão no caminho,
Mas a esperança de chegar não me deixará seguir sozinho.
As pedras farão parte e entrarão nos meus sapatos,
Mas nenhuma dificuldade impedirá o sucesso desse ato.
Talvez um acidente me force a fazer uma parada,
Talvez um ladrão me queira roubar na estrada,
Talvez acabe logo todo o meu suprimento
E eu tenha de atrasar todo o meu movimento.
Sou caminhante a trilhar a rota de uma nova vida,
Sou peregrino que sonha com a terra prometida.
Não renunciarei ao sonho de atravessar o deserto,
Pois eu sei que onde há problemas, a solução também está por perto.
Por isso sigo cantando e acreditando: Deus está comigo!
Se é a andança deveras longa e não encontro abrigo,
Junto a fé que tenho, faço uma cabana para dormir.
Então, mais uma vez, recebo do Alto a força que me faz prosseguir.

Você confia em Deus?

O irmão Ananias foi designado para uma missão em outro país. Sabia que esse dia chegaria e, finalmente, depois de tanto estudo e experiências, sentia-se preparado para encarar a nova missão. Ele começou a arrumar sua bagagem. Embalou, sobretudo, o material que usaria para desenvolver uma pastoral eficaz naquele outro país. Como religioso dedicado que era, vivia com vista na missão, e tudo o que tinha era para ser usado no seu trabalho.

O irmão orou muito, pedindo que Deus estivesse com ele na viagem e na nova empreitada. Enquanto fazia suas preces, ouviu uma voz e não teve dúvida, era o Senhor: "Ananias, você confia em mim?". O religioso, sem titubear, respondeu prontamente: "Sim, Senhor, eu confio". E a voz acrescentou: "Eu estou com você".

Ananias guardou a palavra no coração, e quando lhe perguntavam se estava preocupado ele simplesmente respondia: "Eu confio em Deus".

No dia do embarque, um irmão da congregação lhe questionou:

— Irmão, será que você vai conseguir despachar esse monte de bagagem?

Ananias não se abalou:

— Pode ter certeza que sim, são materiais importantes para a missão. Eu confio em Deus.

Porém, no momento da apresentação no aeroporto ele foi informado de que sua bagagem não poderia ser despachada, pois estava com excesso de peso. Ananias, depois de muito pedir e implorar em vão que sua bagagem fosse aceita, não teve escolha, embarcou apenas com uma bolsa de mão.

Não se conformava em deixar todo o material para trás. Não se importava com a roupa, mas com as coisas que usaria na missão. Em oração, ele reclamava com Deus:

— Mas o Senhor não disse que estaria comigo em todos os momentos? Por que deixou isso acontecer?

Imediatamente lhe veio a resposta:

— Ananias, meu filho, se você confia mesmo em mim, por que precisa de tanta bagagem? Só uma coisa lhe basta, a fé.

Ananias entendeu a mensagem e compreendeu o que era, de fato, confiar no Senhor.

Caro leitor, confie também e saiba que nem sempre a ação de Deus se dá como você imagina. Lembre-se de que você não precisa de muita coisa para cumprir a sua missão, basta ter a certeza de que Ele estará sempre presente em sua vida.

A grande causa

Não tinha tempo para nada, pois estava envolvido com uma grande causa. As suas plantas murcharam, o animalzinho ficou sem atenção, a criança na rua lhe deu um sorriso, mas ele nem notou. Era compreensível, já que só tinha olhos, mente e coração para a grande causa. Não podia parar, não podia perder o foco, não dava para se distrair com qualquer coisa. A grande causa era a razão da sua existência, o motivo do seu continuar a respirar. Alguém lhe telefonou solicitando uma ajuda, respondeu sentir muito, mas a grande causa exigia todo o seu tempo. Era nobre sua dedicação, todos lhe admiravam o empenho e a fidelidade. Causa tão digna precisa de servidores leais. Acordava antes do nascente e se deitava bem depois do poente, mas sua pele era pálida, pois nunca via o sol, afinal a grande causa não lhe permitia tal luxo. Seu empenho era comovente e, quando falava da grande causa, convencia até os mais céticos com suas palavras apaixonadas. Pela grande causa deixava de comer, descansava muito pouco e se divertia nada. Nenhum passeio, nenhuma conversa fiada, nenhum momento de ociosidade, nunca sentar no parque, nunca atirar pedra na água. Brincadeiras eram proibidas, canções apenas se exaltassem a grande causa, danças, nem pensar, e pensamento somente quando dirigido à grande causa. Passos em direção à grande causa, ações para a grande causa, conversas sobre a grande causa, criatividade somente na grande causa, enfim nada fora da grande causa. Até que um dia, servindo à grande causa, ele morreu. Corajosamente lutou até o fim e em nenhum momento fraquejou ou pensou fugir. Chegando ao céu o anjo do Senhor lhe perguntou a que tinha servido durante a vida. Orgulhoso, respondeu: "à grande causa". O alado de Deus questionou em que consistia ela. Ele levantou a voz dizendo: "a grande causa é a grande causa". O anjo deu de ombros e afirmou que não conhecia nada sobre isso, pois as coisas grandes eram feitas sempre da soma das pequenas, como uma mansão é formada por tijolinhos, como um livro por palavras, um corpo pelas células. Mandou-lhe, então, para o inferno. O homem não se conformou, queria os seus direitos, mas não houve acordo. Chegando ao inferno, o demônio lhe acolheu como se já o conhecesse e foi mostrar seus aposentos. O homem disse que havia um engano, ali não era o lugar dele. O demônio agradeceu a sua modéstia, mas lhe garantiu que estava tudo certo e lhe agradeceu o grande serviço prestado à grande causa. O homem ficou indignado gritando que tinha sido enganado, mas o demônio lhe disse calmamente que essa era a grande causa criada por ele: "enganar as pessoas".

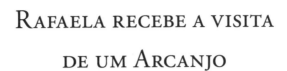

Rafaela recebe a visita de um Arcanjo

Rafaela estava sempre fazendo visitas, levava a Palavra de Deus para os corações aflitos, protegia as pessoas que enfrentavam perigos. Ela queria ajudar todo mundo e ficava triste quando não conseguia.

Um menino de catorze anos vinha da escola e foi atropelado quando tentava atravessar a avenida. Foi levado para o hospital, mas entrou em estado de coma. Rafaela ficou angustiada por não ter podido evitar o acidente. Sua mãe lhe consolou, dizendo:

— Filha, a vida é assim, você não pode evitar que as coisas aconteçam.

E a menina, ainda inconformada, questionou:

— Mas, mamãe, aconteceu tão pertinho de mim.

E a mulher, com sua grande sabedoria, aconselhou:

— O que podemos fazer agora é orar pelo menino e, talvez, fazer uma visita a ele e à sua mãe.

Rafaela sorriu, abraçou a senhora e falou com carinho:

— Você, mamãe, é um anjo que Deus colocou na minha vida.

Mais tarde, Rafaela se colocou em oração e ficou horas dirigindo preces a Deus. Enquanto ainda rezava, sentiu que alguém se aproximava e ouviu uma voz:

— Oi, Rafaela!

Ao se virar, viu um ser de luz sorrindo; fascinada com aquela presença, ela disse:

— Nunca tinha visto você antes! É um mensageiro?

Ele fez um gesto afirmativo e a intensidade da sua luz aumentou, Rafaela foi envolvida pela claridade e ficou radiante. O ser anunciou:

— Sou o Arcanjo Gabriel.

Rafaela ficou emocionada e emudeceu. O arcanjo continuou:

— Você recebeu de Deus dons muito especiais, mas em nenhum momento sua liberdade de usá-los bem ou mal foi violada. Se seus pais assim decidissem, suas asas poderiam ter sido amputadas e você seria uma pessoa como qualquer outra. Tenho percebido o seu desejo de servir ao Senhor ajudando as pessoas. Esta tem sido uma decisão sua. Você não está neste mundo para resolver todos os problemas que existem. Os anjos são limitados e as pessoas de boa vontade também. Você é humana, está sujeita a erros. As suas asas não poderão livrá-la da sua humanidade. As pessoas lhe verão como um ser perfeito, porém, você não é. Não se iluda, mas busque em Deus a perfeição. No entanto, se quiser, será ainda mais usada pelo Senhor.

— Eu quero — respondeu, Rafaela, com convicção —, não há nada que desejo mais do que fazer a vontade do meu Senhor.

— Que assim seja — disse o Arcanjo, desaparecendo.

Perdão...

Por crer que já sou santo, por achar que não preciso do teu perdão. Por me considerar menos culpado, por não ter consciência dos meus erros. Por não saber confessar e nem pedir perdão, por não me humilhar e nem me ajoelhar diante de ti. Por acreditar estar no único caminho, por não perceber que há outras estradas que também conduzem a ti. Por erguer a cabeça e me orgulhar dos meus feitos, por olhar por cima dos outros e ver a mentira pensando ser verdade. Por me iludir com a falsa ideia de que conheço suficientemente a Deus. Por querer ser detentor dos seus ensinamentos, por pensar que sei o bastante, por usar a crença como um rolete a esmagar os que pensam diferente. Por olhar os pagãos, os ateus, os blasfemos como seres inferiores a mim. Por querer tomar posse do Espírito Santo e manipulá-lo em prol dos meus interesses e opiniões. Por dizer que é a vontade de Deus, quando faço somente o que quero. Por pensar que sei orar e ensinar, por achar que meu louvor é o mais agradável ao Senhor. Por achar que posso dizer o que é melhor e o que é pior na manifestação da fé. Por achar que o meu estilo me aproxima mais de Deus que os outros. Por me sentir no direito de, em nome de Jesus, criticar a forma de celebrar do meu irmão. Por tomar posse da autoridade para humilhar outra pessoa, por centralizar a missão sem contar com o talento do meu irmão. Por dizer que Deus está mais na minha religião do que nas outras. Por achar que tenho o direito de selecionar quem entra e quem não entra no Reino de

Deus. Por bater no peito e dizer: "obrigado, Senhor, pois não sou como aqueles pecadores". Por permanecer com a pedra na mão, por não saber perdoar, como o Pai, o filho pródigo. Por não abraçar o pobre, por não entrar na casa do pecador público como fez Jesus. Por não deixar o cego gritar em Jericó, por não conversar com a mulher samaritana, como fez o Mestre no poço de Jacó.

Perdão, por não me considerar culpado e assim desprezar a chance de me transformar pelo teu amor.

Perdoei, cara

Alguém me cuspiu na cara. Perdoei.
Uma pessoa me virou a cara. Perdoei.
Roubaram-me uma coisa cara. Perdoei.
Ela mentiu para mim, cara a cara. Perdoei.
Ele disse que não foi com a minha cara. Perdoei.
Fui ofendido logo de cara. Perdoei.
É triste passar por isso, cara, mas perdoei.

Uma amiga me perguntou se não tenho vergonha na cara
Por perdoar um indivíduo que nem me olha na cara,
Que lesa descaradamente essa minha vida tão cara
E esperou que lhe respondesse cara a cara,
Pois sabia que eu não mentiria na sua cara.
Respondi: "O perdão foi meu remédio, minha cara".

Isquito, o fogo e o ladrão

Isquito não tinha muito tempo. Antes de a lua aparecer, precisaria estar de volta à tribo dos Difentes. Cansado e faminto, esperava um milagre para poder cumprir essa meta. Lá na sua comunidade, Estno segurava a tocha que já não estava com a chama tão forte e, em curto período, tudo ficaria escuro.

Bobno não conseguia conter sua preocupação. Como poderiam viver sem o fogo? Não poderiam fazê-lo utilizando pedras ou madeiras, pois essas coisas, entre tantas outras, já não existiam mais. Chatno disse:

— Vamos nos colocar em oração e pedir a Deus que Isquito possa superar os obstáculos e chegar a tempo com o óleo para que possamos alimentar a chama.

E, realmente, o pequeno precisava de uma proteção especial, pois Lardno, o ladrão, estava a espreitá-lo. O velhaco se preparava para dar o bote e roubar o vasilhame que Isquito carregava.

Isquito percebeu a presença do inimigo, desviou seu trajeto e acelerou os passos. Ao notar que a sua vítima tentava escapar, Lardno gritou:

— Pare, preciso falar com você.

Ele não era bobo e já conhecia a fama do ladrão do caminho. Isquito correu, mas tropeçou em um dos muitos buracos e caiu. O objeto que estava em suas mãos voou longe. Ele tentou se levantar rapidamente, mas sua perna não obedeceu ao cérebro, estava ferido.

Lardno alcançou primeiro o vasilhame e, curioso, queria saber o que continha. O ladrão experimentou o óleo, mas não se agradou do seu sabor e perguntou:

— O que é? Vamos, diga o que é?

— É algo que não serve para beber — respondeu Isquito —, mas para fazer algo muito importante.

Ao ouvir a resposta do pequeno, Lardno ficou com a curiosidade ainda mais aguçada. Isquito lhe disse que esse algo permite enxergar na escuridão, aquece no frio e resolve o problema da falta de alimentos. Lardno perguntou, ansioso:

— Como? Como?

— Só meu grupo tem esse algo que precisa desse líquido — disse Isquito —, mas se eu não chegar a tempo ele desaparecerá e ninguém mais o terá.

Lardno olhou firmemente para Isquito:

— Você não está pensando que pode me enganar?

— Não, pois você não desejará um líquido que não lhe serve para nada, mas talvez queira aquilo que lhe fará mais forte. Eu lhe proponho levar o líquido para meu grupo e, como recompensa, nosso líder lhe dará um pouco do fantástico fogo.

Isquito precisou apostar que a ganância do ladrão salvaria a sua tribo. O velhaco, por seu conhecimento e destreza, tinha mais chances de chegar a tempo. E assim aconteceu, possibilitando à chama ser realimentada.

Às vezes, o inimigo pode se tornar um forte aliado. Pense sobre isso.

Isquito, o fogo e o ladrão: culpa

Lardno, carregando o vasilhame com óleo, chegou até o vilarejo dos Difentes. Os membros do grupo local estranharam a ausência de Isquito, mas não tiveram muito tempo para especular. Lardno, ao ver o fogo, ficou pasmado. Tocou na chama, mas logo sentiu sua mão queimar e recuou. Disse, ansioso:

— Quero para mim, deem-me isso agora.

Bobno lhe respondeu:

— Calma, você precisa primeiro conhecer a história do fogo.

Chatno pediu que o visitante o acompanhasse. Estno falou baixinho, lembrando aos companheiros que esse que trazia-lhes o óleo era um bandido. Bobno ponderou:

— No momento, ele é nosso amigo, pois está nos ajudando, seja qual for sua intenção.

Dentro da cabana, Chatno falava a Lardno dos benefícios e malefícios que o fogo podia trazer. Ensinou ao visitante como transformar alimentos duros e não muito saborosos em deliciosas comidas, mas também contou dos incêndios destrutivos que já tinham ocorrido no mundo. Lardno prestava muita atenção em tudo o que dizia seu interlocutor, depois teve a oportunidade de provar pratos assados e cozidos. Por fim, o ladrão do caminho recebeu a sua tocha e as instruções para alimentar a chama com óleo. Lardno estava radiante de felicidade.

Enquanto o gatuno se afastava, Estno perguntou:

— Será que ele vai usar bem esse fogo?

Chatno respondeu:

— É quase certo que não, mas não podemos detê-lo. Ele recebeu de Deus a liberdade de escolha. Poderá tirar bom proveito desse fogo ou se queimar.

Isquito chegou no dia seguinte, ele mancava um pouco por causa de um ferimento na perna. Olhou para o fogo aceso e demonstrou certa tristeza. Bobno lhe perguntou o que sentia. O pequeno lhe contou:

— Fiquei sabendo que Lardno, em um vilarejo não muito distante daqui, ameaçou atear fogo nas casas, se os moradores não lhe entregassem suas riquezas. Eles reagiram, o ladrão feriu alguns com a tocha, uma cabana se incendiou, Lardno caiu no fogo e ficou bastante queimado. Mesmo ferido, ele fugiu, porém, não tem mais o fogo em seu poder.

Bobno observou:

— E você está se sentindo culpado por isso, pois afinal convenceu o ladrão a nos trazer o óleo, prometendo-lhe uma tocha.

Isquito concordou e acrescentou:

— Não seria melhor que o fogo tivesse se apagado e ninguém tivesse sofrido nenhum dano?

Bobno balançou a cabeça:

— Meu pequeno amigo, as pessoas continuarão a fazer coisas erradas pelo mundo, isso independe de nós. Lardno recebeu o fogo e as informações, mas ele fez sua escolha: usou mal o seu poder e o seu conhecimento. O fogo não pode se apagar para que pessoas não se queimem, as pessoas precisam respeitar a natureza e tê-la como verdadeira amiga e aliada. E mesmo que se apague o fogo exterior, as maldades continuarão, pois o fogo de dentro de cada um continuará aceso.

É preciso usar bem a chama que está dentro de nós.

O ser humano e a flauta
(Trecho adaptado da peça *Hamlet*, de William Shakespeare.)

O príncipe Hamlet andava cheio de segredos que não podia revelar a não ser às pessoas de sua extrema confiança. Ele descobrira por meio de uma revelação do além que seu tio matara o rei para tomar o seu lugar e a sua esposa, a rainha e mãe do príncipe. O atual rei, preocupado com o comportamento misterioso de seu sobrinho, ordenou a um nobre que conseguisse descobrir, pela boca do príncipe, o que estava acontecendo.

— Meu príncipe — disse o nobre —, algum tempo atrás o senhor tinha muita consideração por mim.

— E ainda tenho — respondeu o príncipe, mostrando as mãos —, juro por esses dez dedos.

— Meu estimado amigo, gostaria de saber por qual motivo o senhor anda tão perturbado? — perguntou o nobre. — Ultimamente o senhor tem se trancado em si mesmo e escondido suas angústias até daqueles que o estimam.

— Eu me sinto desamparado — respondeu o príncipe.

— Mas o senhor tem o apoio do rei! — disse o nobre.

Nesse momento passavam alguns músicos carregando flautas. O príncipe os vê e pede-lhes:

— Por favor, empreste-me uma dessas — ele recebe o instrumento e continua falando:

— Diga-me uma coisa: por que está me investigando como se desejasse me fazer cair numa arapuca?

— Oh, meu príncipe, desculpe a minha audácia, não quero que isso prejudique nosso relacionamento.

O príncipe lhe estende a flauta e pergunta:

— Não deseja tocar esta flauta um pouco?

O nobre responde:

— Não, eu não sei tocar.

O príncipe insiste:

— Por favor!

— Estou falando sério, eu não sei — disse o nobre.

— Eu lhe imploro. Toque.

— Meu príncipe, eu não sei nem como se segura o instrumento.

— É mais fácil do que contar mentiras — disse o príncipe. — Administram-se estes buracos com os oito dedos e os polegares dão apoio; enchem-se os pulmões e sopra-se o ar por este bocal. Então a flauta canta uma música capaz de convencer até os nobres mais insensíveis. Faça você.

— Mas eu não consigo; se o fizer, o som não será nem um pouco harmonioso, falta-me a capacidade.

— Ora, você me considera a coisa mais insignificante deste mundo! Este pequeno instrumento tem uma voz maravilhosa e está prestes a dizer sua música a qualquer um que lhe tocar, mas você não tem coragem de fazê-lo falar. Mas em mim você quer meter os dedos, em mim você não tem escrúpulos de tocar. Desconhece a flauta, mas pensa que me conhece o suficiente para me fazer dizer qualquer coisa que deseja. Acha que pode arrancar os mistérios que guardo em meu coração. Considera que pode tirar de mim qualquer tipo de música. Pois se engana, não sou mais fácil de tocar que uma flauta.

Pelo sangue de Nosso Senhor Jesus Cristo! Mesmo que me dedilhe por horas e horas, mesmo que me sopre até não poder mais, de mim não arrancará nenhum som.

Faça como Hamlet: não permita que qualquer um o manipule e arranque os segredos do seu coração.

O POBRE COITADO

Ele ficava ali parado
Uma tiracolo do lado
Com documentos e lenço
O ombro meio tenso
A testa bem franzida
Os cabelos sem vida
Os dedos a tamborilar
O inexistente no ar
Não falava com ninguém
Seu olhar mirava o além
Diziam que era doente
Do corpo e da mente
Um homem sem história
Um guerreiro sem vitória
Um andante sem estrada
Um amante sem amada
Uma criatura perdida
Num beco sem saída

Cicatrizes

Ezequiel, imediatamente após exibir seu corpo, cobriu-o novamente, vestiu o suéter e sentou-se junto ao casal.

— Gostaram? — perguntou Ezequiel. — Concordo que não fizeram uma boa cirurgia. É que os cirurgiões não estavam acostumados com esse tipo de operação. Eu deveria fazer uma plástica. Mas para quê? Não ligo para isso.

— Mas o que significam essas cicatrizes perto das omoplatas? — perguntou o pai, ainda com os olhos arregalados pelo susto da visão.

— Significam exatamente o que vocês estão pensando — respondeu o mendigo.

— Mas por quê? — perguntou a mãe, com sincera curiosidade.

— A história é um pouco longa! Querem ouvir agora?

— Sim, queremos — respondeu o pai, olhando para a esposa buscando uma confirmação. Ela fez um pequeno sinal com a cabeça.

— Muito bem. Meu pai queria que eu trabalhasse com ele em sua rede de lojas de roupas. Mas eu gostava mesmo de pintar, não tinha o menor interesse em vender roupas. Aliás, eu nem me preocupava em andar vestido com roupas caras. Mas ele insistia que eu me empregasse em sua empresa, ofereceu-me um cargo de gerente em uma das lojas, caso eu não quisesse ficar muito perto dele. Eu recusei. Então ele cortou minha mesada e disse que eu deveria me virar para pagar meus estudos. Foi o que fiz. Peguei alguns de meus quadros e saí oferecendo aos estabelecimentos comerciais. Não obtive muito sucesso como vendedor ambulante. Um amigo me falou de uma feira de artesanato, perguntou se eu não queria expor os meus quadros. Aceitei prontamente. No entanto, não conseguia vender muito bem, as pessoas não se identificavam muito com meu estilo. Acho que elas preferiam paisagem. Eu não conseguia obter nenhum lucro com minha arte, não tinha dinheiro para nada. Precisei trancar a matrícula na faculdade de artes. Meu pai parecia vibrar com o meu fracasso. Ele me disse mais de uma vez: "A minha proposta ainda está valendo".

Não queria trabalhar com meu pai, mas não via outra saída. Acho que fui fraco, devia ter insistido com a pintura, pois era do que eu gostava. Mas não tive coragem o bastante e acabei aceitando o emprego que ele me ofereceu. Era muito difícil para mim no início, mas depois me acostumei ao trabalho e me destaquei como um bom gerente. Eu decorei a loja de uma maneira totalmente original, fiz pinturas nas paredes, coloquei luzes especiais, colori o ambiente tornando-o muito agradável. Criei manequins com aparência de animais e aves. E fiz muito mais: desenhei roupas diferentes das que vendíamos nas lojas e mandei confeccioná-las. Em pouco tempo elas se tornaram as roupas mais procuradas pelos clientes. Minha loja passou a ser modelo para as outras. Mas eu me questionava: gosto tanto de pintar e não consigo fazer sucesso com meus quadros, mas aqui na loja tudo o que faço se torna bem popular.

Porém, o meu sucesso não demorou em cobrar o seu preço. Meu pai ofereceu-me um cargo de diretor da rede. Mas ele me impôs uma condição:

— Ezequiel, você é um excelente profissional e não estou lhe oferecendo este cargo porque é meu filho, mas porque o merece como ninguém. O vice-presidente e os outros diretores concordam com a sua promoção. Quero que aceite.

— Tá bom — disse eu.

— Há uma coisa... — disse ele, virando-se para o outro lado e mostrando insegurança para falar.

— O que é? — perguntei.

— As pessoas acham estranho o seu modo de se vestir — respondeu meu pai —, pois faça frio ou o maior calor você está sempre usando esse sobretudo.

— Você sabe por que, papai!

— Sim, claro que eu sei. Mas estive pensando se não é oportuno...

— Oportuno o quê? — perguntei, pouco interessado em saber a resposta, mas muito angustiado por prever o que ele ia dizer.

— Cirurgia — disse ele secamente, virando-se para mim.

— Ah não, pai! Isso nunca.

— Até quando você vai viver como um monstro, escondendo-se como um criminoso?

— Pai, o senhor não sabe o que é poder voar como um pássaro.

— Para que existe avião? Eles nos levam para tantos lugares com uma velocidade espantosa.

— O senhor não sabe o que está dizendo!

— Sei sim, você se tornará uma pessoa normal. Você terá um futuro brilhante!

— Mas por que preciso ser igual a todo mundo? Por que preciso seguir um caminho já traçado? Por que não posso ser eu mesmo? — disse isso enquanto meus olhos se enchiam de lágrimas.

— Jamais poderá ser plenamente feliz com isso... Elas impedem você de se relacionar normalmente com outras pessoas.

Esta última frase foi uma maldição que meu pai lançou sobre mim. Ela permaneceu na minha mente durante dias.

O pássaro que não pode voar

Ezequiel ficou calado por alguns instantes, virou-se de costas para o casal, aproximou-se da geladeira, pegou um jarro, examinou seu conteúdo, procurou um copo e encheu-o com a água que havia nele. Em seguida, bebeu-a num só gole. Parecia querer apagar o fogo que as lembranças acendiam em seu interior. Depois respirou fundo, e, depositando o copo na pia, continuou a falar:

— Certa madrugada, voei para bem longe. Pude apreciar o nascer do sol e sentir seus raios na minha pele como se ele me acariciasse para consolar minha angústia. Permaneci aquele dia inteiro longe de casa e de todos, contemplei os pássaros e desejei ser um deles, admirei a essência única daquelas aves, que eram simplesmente aves. Eu, porém, era um ser duplo. Não podia ser ave e nem ser humano.

Avistei então um pássaro com as asas feridas, ele não conseguia voar e apenas corria pelo descampado totalmente desajeitado e desamparado. Imediatamente, identifiquei-me com ele e chorei como uma criança. Senti uma dor terrível na alma, pois uma lepra cruel dilacerava meu espírito. Ninguém, além dos pássaros e dos insetos, poderia me compreender. Eu estava engaiolado por minha própria insegurança, eu me sentia esmagado pelas mãos da sociedade e da minha família. Pensava no futuro e o via como um monstro a me devorar. Se ao menos pudesse contar com o apoio ou o conselho de alguém. Mas eu estava sozinho com os pássaros e os insetos, eles não falavam a minha língua e eu precisava fazer uma escolha.

Somente mais tarde me dei conta de que entendi mal a mensagem daqueles pássaros. Jamais deveria ter escolhido ser como o pássaro no chão, mas como aqueles que são o que são e voam cumprindo a sua sina. Contudo, eu estava caindo na tentação de seguir por trilhas já abertas, trilhas que me levariam a uma fonte de dinheiro e sucesso. Enfim, estava tomando a decisão de me livrar da condição de atração de circo e me tornar uma pessoa comum.

Hoje, sinto pavor desse pensamento que fez aleijar meu corpo e amputar parte da minha alma. Entretanto, também aprendi com meus erros e cresci bastante a partir deles.

— Vocês entendem por que me aproximei de Rafaela? — disse Ezequiel como que acordando de repente de um pesadelo. — Não desejo que ela renegue a sua condição.

— E isto? O que significa? — perguntou o pai, estendendo a medalha.

O mendigo pegou o objeto e sorriu, encantado por um sentimento muito bom.

— Não somos apenas eu e a sua filha. Existem outras pessoas aladas no mundo. Elas se escondem, e muitas amputaram suas asas como eu. Algumas não tiveram nem escolha, pois os pais se encarregaram de fazer o serviço sujo quando elas ainda eram bebês.

Ao ouvir isso, o pai abaixou a cabeça, tentando esconder a vergonha por ter insistido em fazer a cirurgia em Rafaela.

O QUE ACONTECEU COM OSHUA?

Oshua sonhava com um novo tempo. Não com um tempo como dizem por aí. Ele queria que esse tempo fosse realmente novo como um rebento todo diferente, que não é a cara de ninguém. Rejeitou qualquer especificação, negou todo chavão. Claro que recebeu questionamentos e, ele próprio, duvidou: "Pode algo ser como nunca se viu?"; "pode o sonho se fazer concreto?"; "pode o imaginário transpor os limites do pensamento?". Mas Oshua precisava acreditar, não podia descrer apenas por não ter palavras capazes de derrubar suas dúvidas. Ele continuaria crendo, mesmo que as experiências tentassem convencê-lo de que tudo é igual, que o antigo apenas se traveste de novidade. Queria manter a esperança, mesmo sabendo que o tempo é circular, que é medido pelas voltas que a Terra dá em torno de si mesma e do Sol. Mesmo descobrindo que a vida inteira segue o tal movimento e as coisas e fatos tendem a se repetir seguindo sempre a dinâmica do carrossel. A própria mente não é diferente e segue a mesma lógica, pois pensamentos e ideologias vêm e vão.

Oshua tinha consciência de que até a crença em divindades e paraísos permanece nos estreitos limites da esfera que roda. Que conceitos religiosos giram em torno de um só fundamento: a racionalização da fé. Ele percebia os círculos dos dogmas limitando a vontade e a criatividade, mas nem por isso podia deter o seu espírito ávido por transcender e, muito mais, por encontrar esse novo tempo.

Não, não pensem que Oshua queria morrer ou ficar louco, ele queria apenas viver a novidade de ser. Não pensem que ele queria trocar a noite pelo dia ou o dia por um punhado de mercadoria. Ele queria, sim, ver o mesmo sol brilhando em um novo dia, sentir o mesmo calor em uma nova primavera. "Mas — perguntavam — o que é isso, senão uma expressão grosseira de um homem infeliz? Um termo para manisfestar a rebeldia de alguém que já não é tão jovem?"

Sim, Oshua já acumulava dezenas de voltas no calendário de Gregório, já contava as marcas que se formavam na pele de tanto atritar com o velho "dia após dia" o que nem sempre é suave. O quê? Oshua não queria partir para o desconhecido, mas sabia que poderia conhecer o não conhecido. Sim, acusavam-no de brincar com as letras, de se rebelar contra o belo e bem-sucedido sistema do positivismo contemporâneo. Acusavam-no de não ajudar o otimismo que tanto fazia prosperar os seus sacerdotes. Queriam até prendê-lo por não entoar aquelas canções que imitam o amor e espremem os corações. Queriam torturá-lo para que ele também aplaudisse os célebres que tanto fazem rir, chorar ou orar. Entretanto, Oshua sabia o que queria e somente quem sabe não cede às seduções de um mundo ilusionista.

Oshua não queria construir catedrais, muito menos virar homem de pedra nas ágoras das cidades, Oshua queria simplesmente viver um novo tempo, verdadeiramente um novíssimo tempo. Agora vocês irão perguntar o que aconteceu com ele. E eu vou devolver a pergunta, pois cada um sabe mais dele do que eu. O que aconteceu com Oshua?

Responda você, que também já não suporta mais a mesmice. Você, que anseia por coisas significantes e cansou de participar de um jogo de cartas marcadas. Responda você, que sabe muito bem o que quer e busca um novo tempo.

Loja de maridos

A mulher entra na loja e levanta a mão exibindo um cartão a um moço do outro lado do balcão.

— Vocês aceitam?

— Aceitamos todos os tipos de cartões, de débito ou de crédito.

— Ótimo, eu quero um marido — disse ela.

— Temos vários modelos, minha senhora. Como prefere?

— Eu quero um nem muito gordo nem muito magro. Bonito de rosto e de corpo, que não beba, não fume, não jogue, seja trabalhador, carinhoso e fiel e me leve para passear.

— Desculpe, moça, esse tipo pode existir em filme americano, mas no mercado não há assim em nenhuma parte do mundo, pelo menos que eu saiba.

— Como não há, eu pago, eu tenho dinheiro.

— A senhora não está querendo um marido, mas um super-homem, e esse só existe no mundo da ficção. Marido é marido. Todos eles têm defeitos que vão desagradar. Uns mais, outros menos.

O vendedor pegou o catálogo, abriu-o e mostrou à mulher.

— Este aqui fica o sábado e o domingo em casa assistindo televisão, este outro gosta de fazer churrasco e beber cerveja. Esse outro vai ver a mãe dele todo fim de semana. Esse trabalha de segunda a sábado, chega cansado à noite e tira o domingo para dormir.

A mulher tirou o catálogo da mão do vendedor e disse.

— O senhor não está me entendendo, eu preciso de um homem que me faça feliz.

— Ah, então a senhora não precisa de um marido, mas de um amigo.

— E qual a diferença? Então existe um homem com as características que eu lhe dei?

— Sim, mas a partir do momento que o homem se torna marido ele perde algumas ou todas essas características. Ele engorda, começa a beber, para de ser carinhoso, deixa de querer sair com a mulher. De algum jeito, vai decepcioná-la.

A mulher fechou ainda mais o rosto, respirou fundo e esbravejou.

— Isso não está certo, eu acho que vocês estão escondendo mercadoria da gente e vendendo-a somente para as mulheres ricas que aparecem na televisão.

— Ah, agora entendi! A senhora não tinha explicado que queria um marido de plástico. Vou pegar o outro catálogo.

Amando e amado

Errar, pecar, gritar, ofender,
Magoar, chatear, chorar, defender,
Silenciar, ignorar, isolar, esquecer,
Roubar, machucar, matar, prender.
Tudo gera furor,
Prejudica o amor,
Destrói o valor
E sedimenta o rancor.
Então é preciso perdoar,
Dobrar o coração para orar,
A misericórdia implorar
E desculpas sinceras doar.
Finalmente fica lavado,
Totalmente justificado,
De fato perdoado,
De novo amando e amado.

A moça e o vento

Era uma vez uma moça que amava o vento
Não ligava para o sol, para a chuva ou para a lua
E se encantava somente com o ar em movimento
Estivesse em casa, no campo, na praia ou na rua
Ansiava encontrar seu desejado amado
Sem o qual chorava as noites na solidão
Pedindo que o dia trouxesse de volta seu namorado
Pois sem ele preferia que padecesse seu coração
Que não pudesse ver o rosto do seu querido
Não se importava a nobre alma
Porque o amor que não se vê é melhor sentido
Tranquiliza a mente e ao espírito traz a calma
Às vezes vendaval, às vezes brisa assoviante
Chegava impondo a sua mais bela canção
Trazendo ares de lugares distantes
Anunciando a chegada de uma nova estação
Tufão ou tornado seria aquele vento?
Com nada disso se importava a donzela
Pois a paixão aumentava a cada momento
Por aquele que seria o melhor esposo para ela
Assim suspirava e sonhava a futura noiva
Preparando a festa das bodas de casamento
Desfazendo-se de lembranças e de qualquer coisa

Que pudesse prender sua vida ao antigo tempo
Não demorou, porém, para cessar a ventania
Recuperando o ar a sua cotidiana bonança
E o coração da moça se encheu de agonia
Pois, foi-se o amado levando nuvens e esperanças
Esta é uma história igual à de muita gente
Que confunde o passageiro com o eterno
Sufocando a razão, ludibriando a própria mente
E se esquecendo que após o outono vem o inverno

Para onde ele foi?

Aristóteles engole o último bocado de sua saborosa comida, coloca a marmita descartável no chão e vira-se de lado, apoia as mãos no solo, abaixa a cabeça e, com muito esforço, vai se levantando. Sua coluna permanece encurvada mesmo depois de ele ficar em pé. Lentamente, vai esticando-a como que a desenrolar vértebra por vértebra, por último levanta a cabeça e espreguiça-se gostosamente, bocejando com demora. Feito isso, dobra os joelhos e se abaixa, sem envergar a coluna, com o objetivo de apanhar o objeto de alumínio que ficara no chão. Com ele na mão, estica as pernas devagar voltando ao plano alto ainda com a coluna ereta. O mendigo caminha até o cesto de lixo mais próximo quando, de repente, aparece Ezequiel acompanhado de outras três pessoas bem humildes. São dois homens e uma mulher, todos aparentando ter de trinta a quarenta anos.

— Ele passou por aqui? — Ezequiel pergunta eufórico, sua respiração está rápida, seu batimento cardíaco, acelerado. Eles vieram correndo.

— Ele quem? — pergunta calmamente Aristóteles.

— Um rapaz bem jovem... — responde Ezequiel, que logo é interrompido pelo seu interlocutor.

— Com uma mochila nas costas?

— Sim — responde Ezequiel, com gravidade na voz.

— Que cor era a mochila? — pergunta Aristóteles, com toda paciência do mundo.

— Azul... com detalhes pretos — responde Ezequiel, como que visualizando o objeto.

— A que eu vi era preta com detalhes azuis.

— Talvez eu tenha me confundido. Para onde ele foi?

— Quem?

— Como quem? — pergunta Ezequiel, mostrando-se impaciente.

— O rapaz da mochila azul com detalhes pretos ou da mochila preta com detalhes azuis? — pergunta Aristóteles enquanto coloca lentamente a marmita usada no cesto de lixo.

— Aristóteles, para onde foi o rapaz com a mochila seja lá de que cor? Preta, azul, verde, rosa, cor de chumbo, de burro quando foge, de estrume seco... — diz Ezequiel, exaltando-se mais e mais a cada palavra.

— Eu não sei.

— Como não sabe?

— Um rapaz jovem usando uma mochila preta com detalhes azuis perguntou pela rua Sete, mas eu não sei se ele foi para lá, pois não o segui.

— Aristóteles, eu não mato você agora porque estou com pressa, mas me lembre de fazer isso mais tarde. — Vamos — diz Ezequiel fazendo um gesto para os seus acompanhantes. E eles começam a correr em direção à rua Sete.

— Quer um conselho? — pergunta Aristóteles, levantando um pouco a voz.

— Não — responde Ezequiel, bem alto, com um tom de agressividade.

— Tudo bem — fala o homem para si mesmo —, eu ia dizer para não se preocupar, pois as nuvens no céu nem sempre são sinal de chuva.

O lavrador que ora

O simples lavrador viu sua colheita a perder
E sua família padecer, pois a fome chegaria
Espalhando agonia, miséria e tantas doenças.
Porém, mesmo na falência, não se fechou na aflição,
Espremeu seu coração e fez uma pequena prece.
Não tinha força na messe e nem firmeza nos pés,
Porém, nada pediu a Deus, senão a graça.
Suplicou: "que se faça, senhor da piedade,
A tua santa vontade e nada além eu te peço
E aqui eu já cesso esta ladainha simplória".
Então lhe vem a glória do céu como chuva,
Sua visão se turva, seu espírito estremece
E o milagre acontece ali, naquele chão:
A triste plantação, antes perdida, se revigora
E o lavrador chora a gratidão que lhe aflora.

Um acordo

Voltando para casa, Rafaela caminhou até a estrada, depois levantou voo e seguiu, pelo ar, o trecho de mais ou menos sete quilômetros até a entrada do bairro no qual residia com sua família. Era fim de tarde, o sol já se punha, a menina avistou poucos carros, mas ela fazia de tudo para não ser vista. Afastou-se da estrada principal e demorou um pouco para continuar o trajeto, pretendendo que os carros ganhassem distância dela. Porém, ao retornar, percebeu que um dos veículos diminuíra a velocidade e o motorista estava com a cabeça para fora, como se procurasse alguma coisa no ar. Rafaela diminuiu a altitude e continuou voando por trás das árvores. Depois de um tempo notou que o carro aumentara a velocidade e ela esperou que ele desaparecesse.

Rafaela pousou a uns seiscentos metros da entrada do bairro e continuou a pé. Quando entrou no perímetro urbano viu o mesmo carro estacionado, mas sem o motorista. Ela seguiu bairro adentro, mas teve a sensação de estar sendo seguida. Olhou para trás, viu algumas pessoas conversando na calçada, mas ninguém transitava em sua direção; no entanto, quando se voltou para frente deparou-se com um homem a olhar para ela de modo suspeito. Ele estava numa viela de esquina e só a sua cabeça aparecia, pois o corpo estava escondido atrás de um imóvel construído entre duas ruas. Quando ela se virou, ele recuou com rapidez, mas a menina o viu de relance, sentiu medo, mas decidiu continuar. Quando chegou à esquina, olhou para o lado, não avistou ninguém. Decidiu dobrar à direita e entrar na ruazinha estreita. Foi seguindo por ela até não ter mais por onde prosseguir, pois era sem saída. Depois de passar o olhar em todos os lugares possíveis, ela começou a retornar, mas um som a fez parar:

— Hei! Psiu! Rafaela — chamou alguém.

Rafaela, mais uma vez, procurou com os olhos, mas não viu ninguém.

— Preciso falar com você — disse a pessoa ainda oculta —, por favor, entre pela porta azul à sua esquerda.

A menina alada olhou para a porta indicada, mas continuou parada.

— Não precisa ter medo — disse o estranho. — Pode entrar.

Rafaela se dirigiu devagar até onde se encontrava o estranho, e com muito cuidado, passou pela porta azul. Havia pouca luz no local, mas a menina não demorou para perceber um vulto, atravessando a sala.

— Obrigado por ter vindo até mim — disse ele —, peço desculpas pelos meus modos.

— Tudo bem. Acho que você deve ter algum motivo para agir assim — disse Rafaela.

— Sim eu tenho. Por favor, sente-se — disse o estranho apontando uma cadeira que estava à sua direita.

A menina de asas deu alguns passos até a cadeira, mas continuou em pé. O estranho sentou-se em outra cadeira que estava a mais ou menos três metros daquela. Então a menina também sentou, ajeitando as suas asas para que elas ficassem atrás do encosto.

— É por sua causa que estou assim — disse o homem.

— Desculpe-me — disse a menina —, eu nunca quis fazer mal a ninguém.

— Desde que conheci uma menina com asas, tenho falado dela para as pessoas, mas elas acham que é mentira ou coisa da minha cabeça.

— Eu sinto muito — disse Rafaela.

— Eu falei tanto de você, e com tamanha certeza, que me consideraram louco. Aconselharam-me a fazer tratamento psiquiátrico, mas recusei. Então meus familiares me internaram num hospício. Eu consegui fugir e desde então vivo me escondendo, mas não desisti de provar que você existe.

— Mas por que tem essa obsessão? — perguntou a menina.

— Porque sou jornalista, minha missão é informar as pessoas sobre as coisas.

— E elas precisam saber tudo?

— Quem não sabe das coisas, encontra-se nas trevas. A ignorância é a pior escuridão!

— Por que você acha que as pessoas precisam ter todas as informações? Por mim, penso que elas precisam daquelas que verdadeiramente fariam diferença na sua vida.

— Você disse bem, cara menina. A sua existência é a informação que pode mudar as pessoas.

— Por quê?

— Quando me falaram de você, não dei muita importância, as pessoas veem coisas, falam demais. Mas resolvi investigar. Quando a vi pela primeira vez, pensei tratar-se de uma tecnologia que realizaria o sonho da humanidade de voar livremente. Depois descobri que não eram asas eletrônicas que você usava, e que você era o próprio sonho da humanidade. Uma menina diferente, uma mistura de pássaro e ser humano, de anjo e gente. A partir de você eu descobri a fé. Não tive dúvidas de que Deus criara uma pessoa diferente para que ninguém mais duvidasse do Seu poder. Se antes eu pensava em fazer reportagens que me trouxessem dinheiro e prestígio, de repente intuí que devia fazer uma reportagem para tocar o coração das pessoas. Para que elas acreditassem em algo mais e que não vivessem simplesmente preocupadas com o pão de cada dia. Você é a luz que as pessoas precisam, Rafaela. Será que você ainda não entende isso?

— Mas talvez muitas pessoas não queiram mudar nada na forma de pensar ou agir. Talvez elas desejem continuar do jeito que estão.

— Você tem razão, cara menina. Mas e aquelas que só precisam de um toque para acordar para a vida que existe dentro delas? Você é este toque de Deus — disse o jornalista.

— Eu sou apenas uma menina que nasceu com asas! Por favor, não queira fazer de mim um ídolo — disse Rafaela, com tristeza.

— Já tentei fotografar você várias vezes — disse o repórter mudando o tom da voz —, na primeira vez só apareceu uma mancha azul no filme. E nas outras sempre aconteceu algo estranho, ou a foto queima ou simplesmente não aparece nada. A máquina trava e eu não consigo bater a foto. Hoje sei que não posso fazer isso sem a sua permissão.

— Eu sinto em lhe causar tantas dificuldades — desculpou-se Rafaela.

— Eu perdi o meu emprego, fui tratado como louco. Hoje vivo como um rato me escondendo das pessoas, mas não me arrependo e não quero fama e nem dinheiro. Quero apenas cumprir a missão de ajudar as pessoas a saírem da escuridão. Mas se você não quiser se expor, respeito sua posição. Eu sei que muitos vão odiar uma menina de asas, porque ela vai fazê-los ver que o mundinho que criaram para si não faz sentido.

— Não quero que você pense que sou a salvação para o mundo — respondeu a menina —, e gostaria que você me visse simplesmente como sou. Não tenho uma grande missão a cumprir neste mundo e nem quero fazer revolução nenhuma. Eu gostaria apenas que as pessoas acreditassem mais em Deus e em si mesmas e não se deixassem enganar facilmente por nada e por ninguém. Eu gostaria que as pessoas voltassem a sonhar ou não desistissem dos seus sonhos. E eu quero simplesmente viver e fazer o que estiver ao meu alcance para ajudá-las sem nenhuma pretensão de salvar o mundo.

— Você é de uma sabedoria fantástica! — exclamou o repórter. — Deixe-me contar a sua história?

— Mas a minha história não tem nada de fantástico!

— Isso mesmo — concordou o homem —, não são os fatos extraordinários que podem nos fazer perceber a grandeza da existência, mas as coisas simples que acontecem no dia a dia e nem sempre notamos.

— Não acho que todos precisam me notar.

— Você está correta — disse ele —, não vamos fazer nada sensacionalista, vamos contar a sua história de forma discreta para que as pessoas entendam que aquilo que não se destaca pode ser muito mais importante do que aquilo que ganha as primeiras páginas dos jornais e revistas. E elas vão perceber que não precisam aparecer para ser importantes. O valor não pode ser medido pela fama. O que eu proponho então: um livro. A sua história contada em um livro para chegar primeiro aos corações mais sensíveis e, depois, aos mais endurecidos.

— Eu gosto dos livros — disse Rafaela, pensativa.

— Taí! — fez o jornalista abrindo os braços.

— Vou pensar. Está bem? Vou conversar com minha família — disse a menina —, agora preciso ir. Minha mãe já deve estar preocupada.

— Posso lhe procurar amanhã para saber a resposta? — perguntou o repórter, demonstrando sua esperança.

Rafaela sorriu, mas não disse mais nada. Ela aproveitou que já estava escurecendo e voou para casa sem que ninguém a percebesse.

Quando os enfeites natalinos não comparecem

O semblante da árvore de Natal passa de preocupado para desanimado, ela dá um suspiro, olha para baixo e diz:
— Acho que eles não vêm mais.
— Calma, devem ter muitos compromissos. Final de ano é um corre-corre para todo mundo. Eles vão chegar — disse a lata que segurava a árvore.
— Mas eles nunca se atrasaram dessa maneira. O Natal já está perto! — exclamou a árvore.
— É verdade, como o tempo passa depressa! — disse a lata, como que acordando.
— Eu nunca pensei que sentiria tanta falta deles. Olha como eu estou feia, sem graça. Ninguém vai se alegrar comigo.
— Você está natural. Pense pelo lado positivo, você está uma árvore de Natal diferente das outras: sem enfeite. Não há muita gente hoje em dia que gosta de coisas naturais?
— Mas estive assim o ano inteiro, agora é o momento de eu estar bem enfeitada para anunciar o Natal.
— É verdade, você tem razão. Por que a gente não inventa alguns enfeites? Que tal bandeirinhas de papel?
— Lata, faça-me o favor! Bandeirinhas no Natal! Isso é coisa de festa junina.

— É verdade. Então, que tal aquelas fitas coloridas e aqueles papéis picados? — sugeriu a lata.

— Confete e serpentina no Natal? Isso é coisa de Carnaval!

— Puxa! Carnaval com Natal não combina de jeito nenhum.

— Pois é, imagine que em vez de cantarmos "Noite Feliz, Noite feliz", cantaremos: "Quanto riso, oh quanta alegria, mais de mil palhaços no salão" — canta a árvore com ironia.

— É... Muito estranho mesmo — concordou a lata, imaginando a cena.

— Por que eles não vêm? — perguntou a árvore, consultando o infinito.

— Por que eles não chegam? — completou a lata.

— Tem certeza que as bolinhas não estão na gaveta? — perguntou a árvore.

— Eu já olhei sete vezes — respondeu a lata —, não estão.

— Vamos ligar e saber o que aconteceu — disse a árvore, com autoridade.

— Você sabe o telefone deles? — perguntou a lata.

— De alguns, sim — a árvore pegou o aparelho de telefone e teclou alguns números. — Está chamando. Alô, Papai Noel de porcelana está? Não, ah... Foi fazer umas fotos para um comercial de brinquedos? Ele vai demorar? ... É, eu sei que essas sessões de fotos demoram bastante. Obrigado.

— Puxa! Papai Noel tá importante, hein! — observou a lata.

— Alô! A estrela está? Não... Ah, ela está participando de um filme de cinema. É um filme romântico, mas tem bastante ação. — Ah sei — a árvore desligou o telefone, com ar de chateada.

— Pelo menos ela está aparecendo, não é? — comentou a lata.

— Mas a missão dela é aparecer para indicar o caminho até o Salvador, não aparecer por aparecer. Acho que estão usando de forma errada os símbolos do Natal — concluiu a árvore.

— Papai Noel é garoto-propaganda e a estrela é atriz — disse a lata.

— Alô! O sino está? Não? Aqui é a árvore de Natal. Pode me dizer onde ele foi? Oh! Foi prestar depoimento na polícia.

— Ih, será que o sino fez algo errado? — perguntou a lata, assustada.

— Deram queixa dele, os vizinhos reclamaram que ele fazia muito barulho — contou a árvore depois de ouvir no telefone —, é estranho, a nossa cidade é tão barulhenta, mas ninguém reclama das buzinas, das algazarras, das motos com escapamento aberto... Vão reclamar do sino só porque ele é religioso.

— Pelo jeito nós vamos celebrar o Natal sem enfeites — disse a lata.

— Hei, tive uma ideia! — disse a árvore, estalando as pontas dos galhos — onde estão os cartões de Natal?

— Não recebemos nenhum, lembra? — disse a lata com certa tristeza.

— É verdade, só recebemos mensagens pela internet — concluiu a árvore. — Pensando bem, os enfeites não são os mais importantes. O mais importante é a nossa vontade de festejar o aniversário do Menino Deus.

Rafaela, ensina-me a voar

Rafaela aproximou-se lentamente da jovem que, sentada no chão, chorava profundamente. Colocou a mão no seu ombro.

— Como é o seu nome? Pode falar para mim o que você está sentindo?

— Eu me chamo Ester — respondeu a jovem sem nem levantar a cabeça —, nada na minha vida tem dado certo, eu não tenho mais vontade de viver.

Rafaela colocou-se diante dela, abriu as asas e disse:

— Levante a cabeça, deixe esses sentimentos ruins aí no chão, olhe adiante. Existe uma nova realidade à sua frente, basta você dar alguns passos para alcançá-la.

Ester finalmente ouviu alguma coisa que tocou o seu coração. Pois até então tinha ouvido apenas pessoas que lhe cobravam e criticavam. A jovem resolveu levantar a cabeça, pois sentira curiosidade em saber quem lhe dirigia a palavra daquela forma especial, com uma voz tão encantadora e, ao mesmo tempo, repleta de convicção. Ao ver diante de si uma moça exibindo belas asas como as de um enorme pássaro, pensou estar delirando.

— Não, você não está tendo uma alucinação. Sou como você, sou real e humana — disse Rafaela, adivinhando o pensamento da jovem.

— Mas você tem asas! Você sabe voar? — disse, perplexa, a jovem Ester.

Rafaela, sem perder a firmeza na voz, respondeu:

— Eu sei voar e quero ensinar você a levantar voo também. Dê-me sua mão e fique em pé.

— Eu sou muito fraca — lamentou Ester —, nunca aprendi a fazer nada direito. Não consigo ter sucesso em coisas que tento realizar. Sou uma fracassada, perdi meu namorado, perdi minha bolsa de estudos, perdi meu emprego, meus amigos, perdi tudo.

— Mas você não quer começar tudo de novo? — perguntou Rafaela.

A jovem Ester olhou com admiração para sua interlocutora e respondeu:

— Gostaria que Deus me desse asas como as suas. Então eu voaria bem alto.

— Pois você já as tem — disse Rafaela —, e pode começar a subir agora.

Ester demonstrou não entender o que Rafaela queria dizer, mas a menina com asas continuou:

— Deus deu asas a todos, alguns as cortam, outros se esquecem delas ou têm medo de usá-las, por isso elas se atrofiam. Se a pessoa quiser, ela pode deixar crescer suas asas e, com elas, alcançar as alturas.

— Mas como isso pode acontecer? — entusiasmou-se a jovem Ester.

— Pela fé — respondeu Rafaela —, pela confiança em Deus e em si mesma. É preciso crer que tudo é possível. Acreditar que você pode vencer e não desistir quando aparecerem dificuldades. Bater as asas significa usar a criatividade. Bater as asas significa amar as pessoas e deixar-se amar por elas. O amor eleva você, faz subir, subir e subir.

Você pode ir cada vez mais alto até alcançar Deus. No entanto, é preciso galgar degrau por degrau para chegar ao topo. Pela manhã, bata suas asas quando abrir os olhos e acredite que o seu dia será maravilhoso, pois você sabe voar. Você sabe sorrir para as pessoas e pode dizer palavras bonitas. Se encontrar alguém triste, convide-o para voar com você. É fácil, bata as asas uma, duas, três, quatro, cinco vezes e voe. Passe por cima dos problemas quando eles não merecerem sua atenção. Se encontrar obstáculos à frente, bata as asas mais forte, você pode ultrapassá-los. Se for perseguida, se os inimigos da vida quiserem derrubar você, voe mais rápido e sinta o ar batendo forte no seu rosto. Que delícia! Celebre o sucesso, cantando e bendizendo o Criador. Você não é um pássaro mudo, você é gente que voa e fica feliz. Mas se a felicidade que sente incomoda alguns, se o voo que empreende assusta alguém, não pare, pois atrás de você outros também voam confiantes, seguindo seu fluxo. A festa da vida não pode cessar porque certas pessoas desistiram dela. Muitos querem viver e voar, voar... Batamos nossas asas e voemos juntos. Dancemos nesse ritmo gostoso da vida. Façamos a coreografia da vitória contra a angústia e contra o desespero. Batamos nossas asas dos sonhos e dissipemos o pesadelo da derrota. Sejamos gente que bate as asas da alegria, e não bonecos imobilizados pela gaiola da tristeza.

Ester abriu os braços e pediu:

— Ensina-me a voar.

Rafaela sentiu um amor imenso, retirou do bolso o objeto e, carinhosamente, colocou-o na mão da moça. Ester levou o punho para perto do rosto, abriu os dedos e, enquanto mirava a palma da mão, outras lágrimas, então de esperança e alegria, caíram de seus olhos.

Em seguida dirigiu o olhar para Rafaela, que se aproximou e a abraçou dizendo suavemente:

— Comece a treinar, Deus será o seu mestre.

E Rafaela não disse mais nada depois disso, as palavras já não podiam expressar mais nada, mas os corações das meninas dialogavam ao ritmo de suas batidas. Eles marcavam o compasso de uma música que seria a trilha sonora de uma nova vida. Uma vida de esperança, de fé, de confiança. Ester valsaria com Deus dali em diante, sambaria sobre os seus problemas e louvaria cada vitória conquistada. Ela sabia que tinha talento o suficiente para compor uma nova canção, e uma canção de sucesso. Ester distribuiria as notas de suas atitudes na pauta da vida e encheria com sua melodia harmoniosa a existência de outras pessoas também. E Rafaela, por sua vez, aprovava a composição que seu coração era capaz de ouvir. Como as notas musicais podem subir e descer fazendo mais bonita a música, assim também é o voo de uma menina, assim também é a vida dos seres humanos. Além do mais, a menina entendia que mesmo as pessoas que não possuem asas como as suas podem voar bem alto com as asas da esperança e da boa crença.

Em busca da originalidade

Elisa Kravitz procurava uma imagem verdadeiramente original. Sondou os jovens, as crianças e os idosos. Percebeu muitas coisas interessantes: uma menina de aproximadamente sete anos pegando uma bituca de cigarro que o pai jogara no chão e levando-a até uma lixeira. Viu um rapaz, perto dos dezoito anos, com um violão na mão fazendo uma serenata para a amada. Testemunhou uma senhora com cabelos brancos participando de uma corrida com moças jovens.

Essas e outras cenas, apesar da sua beleza, não deixaram a artista plástica satisfeita. Continuaria empenhada na busca de um acontecimento mais impressionante. Foi então que avistou um mendigo esfregando o ar como se estivesse lavando alguma coisa, mas ele não usava água. Ela se aproximou e notou que ele balbuciava algumas palavras, e chegando mais perto pôde ouvir: "é preciso lavar toda a sujeira deste mundo" — repetia a mesma frase sem parar.

Ela até pensou em colocar essa cena numa tela, mas logo desistiu. Queria algo ainda mais diferente, pois pessoas perturbadas mentalmente havia muitas na cidade. Lembrou-se de outras cenas parecidas com aquela. Coisas tristes em uma sociedade capaz de enlouquecer muita gente.

Seguiu pela rua da Consolação quando pensou que poderia retratar todas as cenas testemunhadas por ela: da menininha consciente, do cantor enamorado, da velhinha atleta e do limpador do mundo.

A artista parou de repente, pegou um pincel imaginário e, ali mesmo, na calçada, começou a desenhar, em uma tela também imaginária, as cenas que estavam em sua lembrança. Os passantes observavam curiosos a mulher que fazia gestos estranhos no meio da rua e, com certeza, pensavam: "Essa aí pirou de vez!".

Quando Elisa Kravitz expôs a sua nova obra já terminada, todos ficaram fascinados com a originalidade. Ela pintara a si mesma olhando e desenhando fatos inusitados que ocorrem na cidade.

As coisas, as pessoas e os acontecimentos são mais interessantes, quando nós temos interesse por eles. A nossa vida e o que fazemos são interessantes. O problema é que não conseguimos mais perceber o quanto elas podem ser empolgantes.

Então, antes de sair à caça de coisas novas, dê uma olhada na sua própria vida e perceba que ela tem coisas muito valiosas.

Sempre vitorioso

Ele desceu ao fundo, mas de lá saiu
Esmagou o mal, os infernos ruiu
Vencendo as trevas retornou à luz
Seu nome é poderoso, é Cristo Jesus
Ele se apresentou de corpo e alma
Aos amigos que tremiam sem calma
E estavam presos a quatro paredes
Sem coragem para lançarem as redes
O Senhor traz a eles a verdadeira paz
Abençoa o pão e o mesmo gesto refaz
Devolvendo a alegria ao seu coração
E ordenando-os a prosseguir na missão
Ele vive, sempre vitorioso é o Senhor
Que mudou a cruz em sinal de amor
Pagou os pecados da humanidade
E mostrou o caminho da eternidade

O bode bale, a gansa grasna, o porco grunhe e o gato usa Ray-Ban

Com a venda do cavalo, os animais da fazenda decidiram eleger entre eles um novo líder. O porco se encheu de esperança, porque ele se considerava a pata direita da antiga liderança. Então, começou a fazer campanha. Passou a cumprimentar os colegas e a sorrir para eles, coisa que nunca fizera antes. O porco andava até a beijar os filhotes dos outros, ele que nunca escondera de ninguém a sua aversão pelos pequenos. A gansa, percebendo o perigo, decidiu entrar em ação e foi logo procurar o carneiro.

— Precisamos fazer algo para impedir que o porco seja escolhido — disse, transparecendo sua preocupação.

Os dois resolveram procurar o bode e pediram que ele aceitasse ser candidato, pois achavam que, no momento, ele era o que tinha mais chance de ganhar do suíno.

— Acreditamos que você é a solução e vai manter aquilo que já conquistamos na fazenda até hoje — argumentou o carneiro. — O seu nome vai agradar a maioria dos bichos.

O barbicha não pensou duas vezes e aceitou a indicação. Então, iniciaram uma campanha maciça e, mesmo sem nenhuma liderança nata, ele recebeu 51% dos votos e foi empossado como o novo líder dos animais da fazenda.

Logo que começou a liderar, o bode foi procurado pela galinha.

— Ó, bode, líder supremo — disse a penosa —, peço sua intervenção em meu favor, pois estou sendo injustiçada. Todos os meus ovos são tirados de mim. Não deixam nenhum para que eu possa chocar. O meu sonho é ter muitos pintinhos e aumentar a população do galinheiro.

— Tenha paciência — respondeu o bode —, por ora não posso fazer nada, mas em breve vou conseguir que lhes deixem alguns ovos.

Ela foi correndo contar o resultado da conversa ao seu amigo porco. Ele lhe aconselhou a não acreditar no animal de barba.

— Mas quando, enfim — disse o suíno —, este porco assumir o poder, resolverá o seu problema. Eu prometo que todos os ovos que botar lhes serão deixados. Tudo o que você precisa fazer é ajudar-me a conseguir tomar o lugar desse bode que não sabe liderar ninguém.

O porco tinha uma grande capacidade de mentir e enganar os animais. Ele jogava nos dois times, não honrava nenhuma camisa, agia e falava por interesses e não convicções e ensinou a galinha a ser como ele. Juntos, tramaram contra o carneiro e a gansa, pois sabiam que eles tinham feito campanha em prol do bode.

O porco e a galinha aproximaram-se do bode e, com diabólica perspicácia, convenceram-no de que a gansa e o carneiro eram seus inimigos.

O bode começou a perseguir o carneiro, que não suportou a pressão e deu um jeito de fugir da fazenda. A gansa sentiu-se sozinha, entrou em depressão e se isolou de tudo e de todos.

Percebendo não ser difícil influenciar o bode, o porco, junto com a galinha, tramou uma estratégia para controlá-lo e prejudicá-lo. Espalhou que o bode não estava conseguindo liderar sozinho e precisava de um auxiliar.

— O gato de ray-ban deve ser nomeado vice-líder para que o bode não fique sobrecarregado — dizia.

O felino era do tipo que obedecia a quem mais lhe oferecia. O bode inocentemente aceitou a suposta ajuda.

Logo que foi nomeado, o vice-líder começou a andar pela fazenda com o pescoço esticado a olhar a todos com superioridade. Quando avistava a galinha, a pata, que não botava ovo e nem sabia nadar, e a perua, já bem envelhecida, ele lambia os beiços, pois morria de vontade de se alimentar de todas elas, e acredita-se que foi o que fez mais tarde. Mas as penosas se encantavam com seu jeito gatuno de ser. Ele miava suave e elas se derretiam todas. Mas não demorou a soltar as suas garras dando ordens, impondo mudanças e metendo o bedelho em tudo.

Os animais não estavam gostando nem um pouco de que o bode tivesse o gato de ray-ban como auxiliar. Com exceção das penosas, ele não era querido por ninguém. Criticavam os dois e diziam que eles estavam prejudicando a todos e comprometendo a paz na fazenda.

O porco sorria satisfeito, voltava a cumprimentar os bichos e a beijar os filhotes. Acreditava que muito em breve estaria liderando a bicharada. E, é claro, como líder, sua porção de lavagem aumentaria muito. Mas ninguém mais acreditava nele, já que andava de um lado para outro com o bode e era amigo do gato de ray-ban. Todos perceberam que ele fazia jogo duplo.

A galinha acreditava que teria seus ovos para chocar, o bode estava sendo derrotado e, em breve, seu amigo porco estaria no poder, mas ela era arrogante, não se continha e andava pela fazenda a bicar todos que encontrava pelo caminho. Ninguém mais a suportava.

Por causa de tudo isso, os animais estavam insatisfeitos, não trabalhavam mais com vontade e a fazenda entrou em crise financeira. Foi anunciada a sua venda e o comprador resolveu loteá-la em forma de condomínio fechado.

Esta é uma história de ficção; qualquer semelhança dos animais ou dos fatos com as pessoas e com a realidade não é mera coincidência. Peço desculpas se o final não foi feliz, pois nunca será enquanto os falsos e incompetentes dominarem nossas vidas.

Asas de morcego

Rafaela dormia profundamente e sonhava que estava voando acompanhada de outra pessoa. Ela não sabia quem era, mas os dois estavam alegres e olhavam-se enquanto cortavam os ares. Mas repentinamente eles se transportavam para o interior de um avião e continuavam a se olhar, quando apareceu um homem do lado de fora que os observava pela janelinha, parecia assustado. Rafaela desviou o olhar, mas o homem começou a bater no vidro; a menina com asas olhou novamente e o viu pronunciar, pelos seus movimentos labiais, a palavra "cuidado". Ela acordou e percebeu que alguém estava batendo na porta.

— Rafaela, Rafaela — era sua mãe quem a chamava.

A menina pulou da cama e correu até a porta dizendo:

— Estou indo, mamãe!

A mulher demonstrava preocupação no rosto e pediu para entrar no quarto da filha.

— O que foi? — perguntou a menina, aflita.

— Eu ouvi algum barulho e pensei que já passava das 5 horas e Lúcio já estava fazendo seus exercícios, mas quando olhei no relógio vi que eram apenas 4 horas. Fiquei atenta por alguns minutos e o barulho continuou, então levantei e me dirigi à porta do quarto que cedemos a ele; foi quando ouvi um ruído no térreo. Fui descendo as escadas com cuidado quando avistei um vulto, ele abriu a janela da sala e saltou para fora. Eu o vi abrir duas asas enquanto pulava, mas não eram como as suas. Eram escuras, não possuíam penas, eram como asas de morcego — começou a soluçar.

Rafaela a abraçou, e a mãe, se acalmando, continuou:

— Eu recebi uma força divina naquele momento e terminei de descer as escadas, fechei a janela e voltei para cima. Mexi na fechadura do quarto de hóspedes e a porta se abriu. Lúcio não está mais lá, a cama continua do mesmo jeito que nós deixamos para ele: arrumadinha. Nenhum sinal de que ele tenha se deitado nela.

— A pessoa que você viu sair pela janela é o Lúcio? — perguntou Rafaela.

— Não sei, não vi o rosto; tudo foi tão rápido, que não consegui identificar se os seus movimentos eram como os de Lúcio. Além do mais, apenas a luz da lua que entrava pela janela da sala.

— Venha, vamos ver se encontramos algum sinal do que está acontecendo aqui — Rafaela puxou o braço da mãe, que não hesitou em seguir a filha.

A menina entrou no quarto de hóspedes e examinou tudo, checou o guarda-roupa, as gavetas, o banheiro...

— Ele não mexeu em nada, sua mochila continua intacta. Repare, mamãe — Rafaela aproxima o rosto do chão e apontou certo lugar com o dedo —, ele deitou-se no chão!

— Como você sabe?

— Há marcas do suor de suas mãos no piso!

— Ele pode ter apenas se sentado no chão — questionou a mulher.

— Não, ele deitou e dormiu um pouco — afirmou Rafaela com bastante segurança —, há saliva aqui. Vamos lá embaixo.

Elas olharam a cozinha, a sala, os armários.

— Tudo em ordem — disse a mãe de Rafaela.

— Mas onde estará Lúcio? — perguntou Rafaela, um segundo antes de ouvirem passos do lado de fora. As duas estremeceram.

— E agora? — perguntou baixinho a mãe.

Escutam uma chave entrar e girar no buraco da fechadura. A porta se abriu. O coração das duas mulheres acelerou.

— Puxa vida, vocês já estão acordadas! — disse Lúcio, entrando e vendo as duas estáticas em um canto da sala.

O rapaz estava bem suado e respirava forte e profundamente.

— Não consegui dormir mais, então aproveitei para correr um pouco. É o exercício de que mais gosto. Fico muito bem depois de uma boa corrida. Eu assustei vocês, saindo e entrando de repente? Desculpe-me, por favor, eu sei que as minhas atitudes não são muito normais e eu não consigo manter um ritmo constante de vida.

— Realmente, ficamos preocupadas; você disse que levantaria às 5 — disse a mãe de Rafaela.

— Por que você saiu pela janela e não pela porta? — perguntou a menina.

— Perdão, perdão — pediu o rapaz um tanto envergonhado —, eu não sabia que vocês iriam ver. Desde pequeno tenho isso comigo. Quando saio pela janela sinto que sou livre, sinto que estou fugindo da prisão que nos coloca o mundo. Sinto que não preciso ser igual a ninguém e nem seguir os mesmos caminhos que outros criaram. Quando saio pela janela sinto que posso voar. Mas sou como o morcego que não levanta voo do chão e precisa se lançar de algum ponto elevado. Que vergonha! Vocês estão percebendo que não cresci muito. Continuo sendo aquele menino bagunceiro e atrapalhado.

— Lúcio, eu vi suas asas — disse a mãe bem devagar.

— Eu não tenho asas como as de Rafaela — disse o rapaz com um tom mais suave na voz. — Eu admiro muito você, Rafaela. Antes, quando minha mãe falava da menina com asas, eu sentia inveja e ficava com raiva de Deus por ele não ter me dado asas também, mas certa vez eu estava assistindo a um documentário sobre animais e comecei a notar a maravilhosa diversidade de espécies que existe no mundo. No ar, na água, na terra, o Criador povoou o planeta de vida. Isso é lindo, muito lindo! Porém, o ser humano destruiu, contaminou, ocupou o hábitat de tantos seres vivos como se não estivesse fazendo nada de errado. Eu senti vergonha de ser gente e desejei me tornar um bicho. Depois comecei a pensar que Deus me fez assim, e assim devo ser. Deus me fez gente, como também fez a Rafaela, que é uma menina e ave também. A gente tem que respeitar o que o Criador faz. Não posso querer ser o que não sou e nem sentir inveja daqueles que são o que são. Passei a sentir muita admiração por você, Rafaela, e prometi a mim mesmo que um dia iria estar mais perto dessa menina tão especial. Aproveitei a oportunidade de fazer esse curso nesta cidade e pedi à minha mãe que conseguisse uma hospedagem para mim aqui. Tenho para mim que posso aprender muito com você, Rafaela.

— Quanto às minhas asas — continuou Lúcio estendendo um pedaço de pano às mulheres — eu mesmo as fiz —, é apenas uma capa que costumo usar para proteger as costas.

Testemunho de Pedro

Eu era um pescador e ainda sou, pois ele me convidou para pescar gente. Confesso, não entendia o convite, mas ele falava como ninguém e agia de um modo que não dava para não ser cativado. Percebi que, se eu não o seguisse, perderia a maior oportunidade da minha vida. Eu não sabia para onde, mas ele nos conduziria a um estado maravilhoso. Aliás, estar com ele era bom demais. Eu queria ficar ao seu lado para sempre. Certa vez senti no coração que ele era realmente o Messias, o Filho de Deus, e ele confirmou, mas não precisava, eu tinha uma certeza absoluta dentro de mim. Eu o amava como nunca amei ninguém; entretanto, percebi que meu amor ainda era tímido. Quando ele pediu que confirmasse o meu amor por ele, fiquei chateado, parecia que não acreditava em mim, mas depois percebi que meu amor precisava ser amadurecido, pois, mesmo ele me considerando uma pedra e me nomeando o líder, eu não estava pronto. E em um momento de medo e fraqueza o neguei, não uma vez apenas, mas três. Senti-me a pior pessoa do mundo, contudo, eu precisava me reerguer, pois o seu nome e as coisas que ele ensinou não podiam ser esquecidas. Eu precisava me reerguer: lembrei que ele ensinou a perdoar setenta vezes sete, e o tinha negado três vezes, porém poderia ser perdoado e aceitei o perdão para continuar na missão.

Pensei em sair e lutar contra todos que lhe fizeram mal, pensei em me vingar, mas me lembrei de quando eu quis defendê-lo contra os guardas que vieram prendê-lo e ele me deu um basta dizendo que quem com ferro fere com ferro é ferido. Ele, até mesmo, curou o ferimento do soldado atingido. Então me reuni com os outros e decidimos evitar um confronto. Resolvemos ficar escondidos até que Deus nos mostrasse o que fazer. A resposta não demorou. Em uma manhã, Maria Madalena e outras mulheres apareceram gritando que Jesus havia ressuscitado. Corri até o túmulo para ver o que tinha acontecido e realmente ele estava aberto e o corpo do Senhor não estava lá. Eu ainda não tinha maturidade de fé suficiente para crer, mas ele veio nos visitar e nos fez sair da nossa descrença, enviando-nos a proclamar o Reino. Disse que faríamos coisas ainda maiores do que ele próprio fizera. Não questionei as suas palavras, mas acolhi o Espírito e saí a evangelizar.

Rafaela, uma simples menina com asas

Rafaela batia as asas e subia cada vez mais alto. Sentiu-se cansada, mas quis ir além. Voou como nunca havia voado antes. Fez a experiência de transpor limites, mas percebeu que não poderia subir mais, pois a vida lhe impunha as barreiras que deveriam ser respeitadas. Descobriu que é possível alcançar alguns topos, mas acima deles existirão picos que não poderão ser atingidos.

— A vida é assim — refletiu Rafaela —, existem pessoas que se contentam em estar no chão ou simplesmente não sabem que existe o céu; outras querem subir além dos limites, mas seguem por caminhos errados e se frustram. Algumas acham o caminho, mas querem ir além do que podem e acabam caindo. Hoje, percebo como é bom existir do jeito que me fez o Criador, capaz de voar, mas com capacidade limitada. Posso ajudar as pessoas, mas nem tudo depende de mim. Posso conviver com homens e mulheres, ciente das suas e das minhas limitações. Se tiver a oportunidade, mostro-lhes o patamar a que podem chegar, caso contrário, respeito o seu momento e o seu estágio.

E, pousando sobre a montanha, Rafaela se refez do cansaço, fechou os olhos, juntou as mãos e rezou:

— Obrigada, meu Deus, porque tu me mostraste mais claramente a minha missão: viver feliz e mostrar aos outros que Tu és a verdadeira felicidade, pois quando Te busco alcanço a paz que procuro. Minhas asas são importantes, porque me aproximam de Ti. Não as tenho para me exibir ou me apresentar como anjo diante dos meus irmãos, mas para alcançar as coisas do Alto e partilhá-las com outras pessoas. Hoje entendo que o combustível que me permite voar é a fé.

A menina com asas sentiu-se realmente feliz por ser humana e limitada. Percebeu que a fé, da qual era possuidora, não deveria fazê-la fugir da sua condição e nem mascarar suas fraquezas, mas exaltar o poder e a misericórdia de Deus por meio do dom maravilhoso de existir. Repleta de alegria, ela desceu da montanha com o desejo de rever as pessoas, abraçá-las e dizer-lhes que tinham o direito de usufruir a vida, pois Deus havia concedido a elas essa graça.

— Que bom, a cada dia percebo minha filha mais alegre e carinhosa — concluiu a mãe de Rafaela —, peço a Deus que a guarde sempre do mal, pois nem todos conseguem compreender e aceitar a luz que vem do Alto.

— Minha sobrinha é um doce — disse a tia.

— Oi, filha! Hmm... que abraço gostoso! — agradeceu o pai.

— É a minha netinha.

— O anjinho do titio.

A menina era, sem dúvida, alguém muito especial, não só por suas asas, mas por suas atitudes. Rafaela tinha um desejo: ser conforme Deus a criara, uma simples menina com asas.

Jesus está comigo

Eu não queria mais seguir adiante
Pois muito já tinha tentado em vão
Mas o Senhor disse: "vamos em frente
É preciso não se acomodar no chão
Pegue as redes e vamos mar além
Tenha coragem, acredite, tenha fé"
Eu obedeci, empurrei o barco, amém
Apertei os remos e no casco firmei o pé
Linda pescaria aconteceu naquele dia
Tudo dava certo, nada dava errado
Maravilhoso sucesso, doce alegria
Fiquei radiante, totalmente extasiado
E finalmente acolhi o ensinamento
De que não se pode descrer e desistir
Pois, se tenho um firme pensamento
Jesus está comigo e não me deixa cair

INFORMAÇÕES SOBRE A
GERAÇÃO EDITORIAL

Para saber mais sobre os títulos e autores
da **GERAÇÃO EDITORIAL**,
visite o site www.geracaoeditorial.com.br
e curta as nossas redes sociais.

Além de informações sobre os próximos lançamentos,
você terá acesso a conteúdos exclusivos
e poderá participar de promoções e sorteios.

geracaoeditorial.com.br

/geracaoeditorial

@geracaobooks

@geracaoeditorial

Se quiser receber informações por e-mail,
basta se cadastrar diretamente no nosso site
ou enviar uma mensagem para
midias@geracaoeditorial.com.br

GERAÇÃO EDITORIAL

Rua Gomes Freire, 225 – Lapa
CEP: 05075-010 – São Paulo – SP
Telefax: (+ 55 11) 3256-4444
E-mail: geracaoeditorial@geracaoeditorial.com.br